JE PARLE LE PARISIEN

JEAN-LAURENT CASSELY   CAMILLE SAFÉRIS

JE PARLE LE PARISIEN

LE DICTIONNAIRE FRANCO-PARISIEN

PARIGRAMME

« Paris, point le plus éloigné du paradis,
n'en demeure pas moins le seul endroit
où il fasse bon désespérer. »

Cioran

SE LOGER

Petites annonces

ACCÈS HANDICAPÉS
[intouchab'] loc.
Rez-de-chaussée sans charme.

AGENCES S'ABSTENIR
[praïvet] loc.
Mention figurant invariablement dans la petite annonce lorsque le vendeur ou le bailleur, conscient de détenir un bien d'un bon rapport potentiel, entend convoquer discrètement les agences immobilières en activité pour une visite, dans le but de faire rapidement monter le prix.

ANCIEN RÉNOVÉ
[cline] loc.
Se dit d'un logement en ruine déguisé à l'aide de plaques de Placoplatre et de feuilles de BA 13 sur des murs en brique foraine, puis repeint par des ouvriers bulgares sans papiers payés au lance-pierre.

À RAFRAICHIR
[pourav] loc.
À dynamiter puis à refaire complètement.

À SAISIR
[vite] loc.
Désigne un bien immobilier au prix trop élevé, mais dont le propriétaire est une tête de mule.

ASCENSEUR EN PROJET
[eskalier] loc.
Sans ascenseur, et avec assez peu de chances qu'on en installe un dans les quinze années à venir.

ATYPIQUE
[strendj] adj.
Espace habitable original, voire biscornu (coque de bateau retournée, combles labyrinthiques) et dans tous les cas probablement invivable.

AU PIED DU MÉTRO
[bérout] loc.
À chaque passage, la rame du métro souterrain provoque d'énormes vibrations plus ou moins sonores dans l'appartement.

BELLES PRESTATIONS
[ring] loc.
Faux marbres, interrupteurs dorés et charges de copro explosives.

CALME
[loin] adj.
Situé à au moins 20 kilomètres d'une
gare RER.

CHARME (DE)
[cosy] loc.
1. Miniature. Se dit de tout logement
dont la superficie est jugée trop
réduite au vu du standing et des
ambitions sociales du Parisien qui
le visite. **2.** Charmant. ◊ *"Si vous
voulez, on a un deux-pièces de charme à
Porte-de-Clignancourt avec vue sur le
périphérique, ça sera peut-être plus dans
vos prix."* (Century 21)

CHARME DE L'ANCIEN
[vieukrasseu] loc.
Avec cheminée et/ou poutres
apparentes rongées par les vers.

COMBLES AMÉNAGEABLES
[soupente] loc.
Possibilité d'augmenter la surface
officielle du logement, mais surtout
dans l'annonce.

COSMOPOLITE
[lagout-dor] adj.
Quartier chinois, africain, turc et/ou
pakistanais, en général bien fourni en
sandwicheries kebab et taxiphones.

COUP DE CŒUR
[afer] loc.
Que l'agence immobilière a du mal à
vendre ou à louer au prix demandé.

COUR LUMINEUSE
[béton] loc.
Sans jardin.

DERNIER ÉTAGE
[tréo] loc.
Sans ascenseur.

DOUBLE-VITRAGE
[ouindo] n.m.
L'appartement donne sur une rue très
bruyante, il faudra vivre les fenêtres
fermées en permanence.

DOUCHETTE
[ploutch] n. f.
Avec un jet d'eau faisant office de salle
de bains.

ENTRESOL
[kajalapin] n. m.
Désigne une pièce dont le plafond est
à 1,50 mètre du sol, donc conseillée
surtout pour faire des lessives en se
cassant le dos.

FONCTIONNEL
[ideu] adj.
Moche.

IDÉAL COUPLE
[nidamour] loc.
Trop cher pour une personne seule.

IDÉAL ÉTUDIANT
[micro] loc.
Moins de 10 mètres carrés.

IDÉAL INVESTISSEUR
[plassmen] loc.
Bruyant et minuscule. Parfois dégradé.

IDÉAL PROFESSION LIBÉRALE
[enfer] loc.
Rez-de-chaussée sombre.

JARDIN PRIVATIF
[barbeuk] loc.
Désigne un jardin privé en rez-de-
chaussée, mais visible par tous les
habitants des immeubles avoisinants.
> *Voir **Exhibitionniste**.*

KITCHENETTE
[kuizinett] n. f.
Cuisine de maison de poupée.

LOYER
[tune] n. m.
Selon la charte du propriétaire parisien,
somme devant représenter au moins
le tiers du salaire du locataire, tout
en excédant systématiquement les
800 euros.

LUMINEUX
[cler] adj.
Logement exposé plein nord ou situé
au-delà du quinzième étage d'une tour.

NÉGOCIABLE (PRIX)
[cash] adj.
Trop cher.

OCCUPÉ
[foul] adj.
Se dit d'un appartement vendu occupé
par un couple de fringants octogénaires
joyeux et insouciants, payant
généralement un loyer modeste encore
régi par la loi de 1948.

PARQUET-MOULURES-CHEMINÉE
[pé-aim-cé] loc.
Appartement haussmannien trop
cher pour vous (sauf à opter pour un
immeuble néo-haussmannien dans un
néo-quartier des Hauts-de-Seine).

PÉNICHE
[plouf] n. f.
Garçonnière fluviale, mais équipée de
toilettes sèches à la sciure. ◊ *"Attends,
le mec m'invite à boire une caïpi sur
sa péniche, il est même pas raccordé au
tout-à-l'égout !"* (Louise Bourgoin)

PROCHE MÉTRO
[biensur] loc.
À au moins quinze minutes de marche de la station la plus proche.

PROCHE TRANSPORTS
[louin] loc.
À au moins trente minutes de marche de l'arrêt de bus.

RARE
[blabla] adj.
Cher.

RÉNOVÉ PAR ARCHITECTE
[biscornu] loc.
1. Mal conçu. **2.** Repensé par un professionnel de l'aménagement intérieur dans le but de faire passer un volume atypique* pour un choix esthétique délibéré.

RESTAURÉ AVEC GOÛT
[bof] loc.
Restauré par moi.

SALLE D'EAU
[douch] loc.
Sans baignoire.

SANS VIS-À-VIS
[fauvoir] loc.
Avec un vis-à-vis à 15 mètres.

SOUPLEX
[raymond] n. m.
Terme à la mode désignant une grande cave habitable réaménagée comme un appartement, et louée environ 30 % moins cher qu'un duplex (d'où elle tire son nom). ◊ *"Viens chez moi, j'habite dans un souplex !"* (Florian Zeller)

STANDING (DE)
[class] loc.
Avec digicode, gardienne, et la présence éventuelle dans l'immeuble d'un sportif célèbre ou d'une ex-star de télé-réalité.

STUDETTE
[trou] n. f.
Placard pouvant atteindre en toute légalité un loyer de 600 euros par mois.

TRAVAUX PRÉVUS
[latuil] loc.
Travaux ni payés ni votés.

TRAVERSANT
[doublexpo] adj.
Avec vue sur les poubelles dans la cour.

VUE IMPRENABLE SUR PARIS
[loin] loc.
Dans une tour à Bagnolet, étage élevé.

Conversation
PARISIEN
FRANÇAIS

C'est en petite couronne.
C'est en banlieue.

C'est en grande couronne.
C'est en province.

C'est en province.
C'est dans un trou perdu.

Je suis en colocation.
J'habite chez des amis qui me détestent.

J'ai déniché une sublime petite studette dans le 18e.
J'habite une chambre de bonne pourrie de 10 m² à Barbès.

Je cherche un loft.
Je vis au-dessus de mes moyens.

Le 20e, c'est le nouveau 12e.
J'habite un quartier pas si mal/J'ai fait une affaire.

La rue Saint-Denis, c'est le nouveau Montorgueil.
J'avais pas assez pour la rue Montorgueil.

L'habitat et la déco

AGENCÉ
[swag] adj.
Euphémisme systématiquement précédé de l'adverbe "bien", permettant au Parisien de vivre dans le déni de son oppression spatiale. ◊ *"C'est un 12 mètres carrés mansardé, mais tu vas voir on dirait pas, c'est super bien agencé !"* (Un doctorant à Paris-XIII)

ARTY
[klass] adj.
Désigne un loft bien rangé ou une ancienne boutique à la déco brute. Le loft arty se situe à Montorgueil, à l'inverse du loft d'artiste de Montreuil ou de Pantin, qui héberge en général un vrai artiste – d'où sa localisation en banlieue.

BANG & OLUFSEN
[ifi] n. pr.
LA seule marque de hi-fi acceptée dans un salon parisien.

BHV
[bazâââââr] n. pr.
Bazar de la rive droite célèbre pour son rayon bricolage en sous-sol, où toute Parisienne célibataire désespérée peut espérer se procurer rapidement une chignole.

BROCANTE
[krouille] n. f.
1. Vide-grenier. **2.** Boutique de la rue Popincourt, "avec un petit meuble kitsch tellement mignon qui ferait très bien dans l'entrée", à condition de le décaper pour retrouver sa couleur naturelle.

CHINER
[puss] v.
Prendre son temps pour dépenser autant que lors d'une séance de shopping, mais plutôt dans une brocante*.

COLOCATION
[roum-mète] n. f.
Mode de partage d'appartement particulièrement prisé des jeunes Parisiens, jusqu'à 48 ans environ.

CONRAN SHOP
[superchikécher] n. pr.
Ikea du riche.

DÉCO
[d&co] n. f.
Principal poste budgétaire du Parisien. Puits sans fond de dépenses en vue d'accommoder son appartement aux plus récentes unes de magazines lifestyle*, afin de le faire ressembler au logement moderne d'un designer scandinave ou d'un photographe new-yorkais. ◊ *"Tu crois vraiment que cette étagère postindustrielle va s'adapter à l'alcôve néo-boudoir du salon ?"* (Yves Contassot)

DESIGN
[louk] adj. et n. m.
Donnée subjective qui rend l'objet en vente beaucoup plus cher, mais augmente aussi son taux de parisianisme intrinsèque. ◊ *"C'est une petite lampe au design techno qui n'a l'air de rien, mais je l'ai quand même payée 450 euros !"* (Guillaume Durand)

DIY
[di-aïe- ouaïe] sig.
Littéralement, *do it yourself* ou "fais-le toi-même". Remise au goût du jour d'un mot d'ordre punk désignant ce qui est fait à la main, par ses propres moyens, sans avoir recours aux produits fabriqués à la chaîne par les grandes corporations capitalistes multinationales. ◊ *"Jean-René construit son nouvel e-book en DIY au Fab Lab de Belleville, tu peux me prêter ton PC pendant deux ans ?"* (Delphine de Vigan)

GREEN
[bopin] adj.
Écologique ou se présentant comme tel. Généralement accolé au terme "attitude". Se dit d'un objet issu de matières recyclées ou conçu selon un procédé respectueux de l'environnement. ◊ *"Ces lampes design arty* ont été fabriquées avec des puces d'ordinateur en fin de cycle, témoignant d'une réelle green attitude de la part des créateurs."* (Denis Baupin)

HABITAT
[abita] n. pr.
Conran Shop de la classe moyenne supérieure.

HANGAR INDUSTRIEL
[galèr] loc.
Loft avant travaux.

HAUSSMANNIEN
[PMC] adj.
Plus cher, avec une cheminée dont il est interdit de se servir, pour bourgeois pas bohèmes. > *Voir **Parquet-Moulures-Cheminée**.*

IKEA
[ikea] n. pr.
Habitat du pauvre.

KITSCH
[deuxièmdegré] adj.
Signe de mauvais goût toléré (sinon souhaité) par le Parisien dans son logement ou ses boutiques favorites, au titre de l'amour du second degré. Proche de shabby chic*.

LIFESTYLE
[laïfstaïl] loc.
Style de vie, pour faire New York.

LOUNGE
[blingbling] adj.
Mode de décoration à la lumière tamisée et aux couleurs chaudes présent dans tout type de boutique parisienne. Exemples : librairie lounge, piscine d'hôtel lounge, pharmacie lounge, station de métro lounge, Monop' lounge…

NATUREL
[nude] adj.
Qui donne un aspect brut et "sans chichis" (voire shabby chic*), paradoxalement obtenu à l'issue de nombreux efforts et d'achats d'outils onéreux au magasin Leroy Merlin de la rue Rambuteau. ◊ *"T'imagines pas le boulot pour décaper la peinture et retrouver la couleur naturelle du bois !"* (Jacques Boutault)

PARQUET
[chênemassif] n. m.
Lino.

POTAGER DE POCHE
[jardinièrenplastik] loc.
Petite installation croquignolette permettant de disposer sur un balcon de quoi faire pousser dix fraises et trois tomates par an, avant de se résoudre à descendre en acheter des vraies chez Bio c'Bon.

PRIX DU MÈTRE CARRÉ
[eureka] loc.
Formule magique, gardée secrète par les agents immobiliers, qui permet au marché de prendre 10 % de valeur par an à Paris intra-muros. Elle est calculée approximativement par la formule suivante : $[fx = E(x - 4,7\% * t) 2 - Ro]$[1].

(1) Soit x l'indice des prix INSEE, E l'indice du coût à la construction, t les variations de température de la Seine sur les huit derniers mois et Ro le prix moyen du café au bar entre la rue de Buci et le boulevard Saint-Michel.

PUCES
[sintouin] n. f. pl.
Ancêtre du boncoin.fr, en plus cher.
≠ Brocante*.

QUECHUA
[iglou] n. pr.
Habitat pour SDF.

SHABBY CHIC
[fovieu] loc.
Se dit d'un style de mobilier neuf mais
artificiellement vieilli et patiné pour
avoir l'air vintage*.

SPATIALITÉ
[contenan] n. f.
Espace vital dont dispose le
Parisien à domicile. ◊ *"Cette studette
haussmannienne n'est pas immense,
mais elle a une très belle spatialité."*
(Century 21)

STÉPHANE PLAZA
[raïangossling] n. pr.
Agent immobilier cathodique
spécialiste des miracles parisiens.

Brèves
de quartiers

→ Abbesses (NoPi ; North Pigalle)
*"J'ai racheté une maison de maître
à NoPi, Gaël et Maëlis adorent."*
(Isabel Marant)

→ Bas Montreuil
*"Tu sais, ici le tissu associatif et citoyen
est hyper-développé, et y'a même un
Monop.'"* (Fleur Pellerin)

→ Bastille
*"J'ai croisé Alizée au Barrio Latino, elle
est quand même encore super bonne !"*
(La Fouine)

→ Batignolles
*"J'ai brunché avec Alessandra Sublet au
Fuxia des Batignolles, leurs tartelettes au
chou frisé sont trop sympas !"*
(Julie Andrieu)

→ Canal Saint-Martin
*"J'ai croisé Joann Sfar et Riad Sattouf
Chez Prune, ils préparent l'expo Moustaki
à la Villette."* (Charles Berberian)

→ Champs-Élysées
*"J'ai croisé Franck Dubosc au Fouquet's,
eh ben il est très simple en fait !"* (Marie-
Thérèse Bouchard)

→ Rue Daguerre

"Can you believe it ? I have just met Agnès Varda at the fromagerie rue Daguerre !" (Steven Spielberg)

→ Grande couronne

"Une fois, je suis allée en grande couronne." (Mélanie Laurent)

→ Grands-Boulevards

"À Grands-Boulevards, y'a trop moyen de pécho de la chienne !" (Didier Morville)

→ Haut Marais

"J'ai croisé Romain Duris à La Perle avec la top de chez Clarins, tu vois le genre..." (John Galliano)

→ Hauts-de-Seine

"J'ai croisé Jérôme Cahuzac à la Caisse d'épargne de Levallois-Perret, en fait il a l'air très sympa !" (Patrick Balkany)

→ Ménilmontant

"Ménilmontant, c'est hyper-cosmopolite, on croise vraiment de tout... enfin pas ici bien sûr." (Le serveur du café Charbon*)

→ Montmartre/Lamarck

"J'ai croisé Louis Garrel Chez Ginette, il a quand même une vilaine peau." (Benoît Poelvoorde)

→ Mouzaïa/Buttes-Chaumont

"Les Buttes, c'est idéal pour chiner des bricoles vintage." (Isild Le Besco)

→ Seine-Saint-Denis

"Attends man, le neuf cube c'est l'avenir du Grand Paris !" (Françoise de Panafieu)

→ Neuilly-Auteuil-Pereire-Passy

"J'ai croisé Lolita Pille à La Suite, elle est carrément super bonne !" (Bob Sinclar)

→ Place d'Italie

"Michel Houellebecq traînait à Italie 2 vers 15 heures, il m'a même pas reconnu." (Daniel Pennac)

→ Quartier latin

"J'ai croisé DSK au Curio Parlor, il avait une petite mine." (Stéphane Fouks)

→ Saint-Germain-des-Prés

"J'ai croisé Pascal Perrineau rue Guénégaud, il avait un bouton de fièvre." (BHL)

→ SoPi (South Pigalle)

"J'ai croisé Nicolas Ullmann au Mansart, il hurlait sur du AC/DC." (Ludivine Sagnier)

→ Le Village

"J'ai croisé Mika au Dépôt, il m'a carrément snobée !" (Chantal Goya)

CHAPITRE 2

MANGER

ARABE DU COIN
[chémamoud] loc.
Sympathique épicier ouvert à toute heure, aux prix trois fois supérieurs à ceux des commerces habituels. En voie d'extinction depuis l'implantation frénétique tous les 500 mètres de supérettes branchées ouvertes jusqu'à 22 heures et 7 j/7 (Monop', Carrefour City, Marché Franprix...). ◊ *"La sauce tomate-basilic, vous l'avez pas en bio ?"* (Yves Cochet)

AU BON MARCHÉ
[chopichic] n. pr.
Grand magasin de la rive gauche pas bon marché du tout, proposant notamment des condiments ultra-pointus* venus du monde entier. ◊ *"Tu seras gentil, pense à me prendre du poivre sauvage de Madagascar, du diamant de sel du Cachemire, du vinaigre balsamique au jus de truffe noire et un petit vaporisateur d'huile d'olive vierge extra en flacon art déco !"* (Stéphane Bern)

BAGEL
[sézamoupavo] n. m.
Pain rond d'inspiration yiddisho-new-yorkaise ressemblant à un hamburger et vendu pour le même prix avec un trou au milieu. Pas gluten free.

BARISTA
[hep] n. f.
Serveur ou serveuse, pour faire iDTGV.

BENTO
[platorepa] n. m.
Néo-gamelle urbaine appelée aussi Lunch box. ◊ *"On craque pour les nouveaux bentos street-pop de Philippe Starck." (À Nous Paris)*

BERTHILLON
[deuzeurdekeu] n. pr.
Glacier fermé l'été pour touristes américains aimant attendre dans la rue une demi-heure pour un cornet vanille riquiqui.

BIG GREEN
[védjétabeul] loc.
Désigne une préparation végétarienne. Exemples : big green smoothie, big green salad, big green burger, big green cassoulet... ◊ *"Je me détoxe big green depuis trois mois, je rêve grave d'une entrecôte."* (Daniel Auteuil)

BISTRONOMIQUE
[panaisdeladernierepluie] adj.
Contraction de "bistrot" et de
"gastronomique". Qualifie une tentative
d'hybridation de la cuisine de brasserie
traditionnelle avec des apports
culinaires "auteurisants" ou des "twists
recettaux" innovants. ◊ *"Le Balto fait
de la joue de dindon farcie au panais ?
Ils se la jouent bistronomique ou quoi ?"*
(Gérard D)

BLENDER
[moulinex] n. m.
Robot ménager spécial smoothies
(pour faire L.A).

BURGER
[keudapridor] n. m.
1. Fond d'écran du site Instagram.
2. Sandwich arrondi à base de tomate,
d'oignon et de steak haché, accompagné
de frites, vendu 15 euros. À ne pas
confondre avec le "hamburger", servi
seulement dans les fast-foods.

CAFFÈ LATTE
[kawa] loc.
Chez Starbucks, café au lait voisin du
caffè macchiato, tirant un peu sur le
moccachino.

CAFFÈ MACCHIATO
[kawa] loc.
Chez Starbucks, café au lait voisin du
caffè latte, avec moins de lait, plus sucré
que le moccachino mais moins que le
caramel macchiato.

CAFFÈ MACCHIATO FRAPPUCCINO
[kawa] loc.
Chez Starbucks, genre de macchiato
froid frappé avec du café, qui rappelle
le caffè latte mais avec un peu moins
de lait, et dans lequel on aurait ajouté
une pointe de crème, comme dans le
caffè espresso con panna ou comme
l'ancienne recette du mocha bianco
frappuccino latte.

CANTINE
[troitikéresto] n. f.
Bistrot confiné et souvent hors de prix
dans lequel le Parisien a ses habitudes
à midi, reçoit ses amis ou organise des
"déjs" de travail. ◊ *"On se retrouve à ma
cantine thaïe rue Réaumur pour un déj
sur le pouce ?"* (Inès de La Fressange)

CAVISTE (PETIT)
[jerome] n. m.
Ex-intermittent du spectacle
reconverti dans la vente de vin au détail
et installé dans un arrondissement
central, commercialisant des petites
bouteilles "sympas" provenant de petits
producteurs "sympas". ◊ *"T'inquiète,*

je prendrai une bouteille de tariquet chez mon petit caviste sympa." (Jeanne Balibar)

CHAÏ TEA
[tripleréchauffeur] loc.
Infusion aux épices, à la mode chez la blogueuse.

CRÉATION CULINAIRE
[revisitée] loc.
Plat.

CHEESE NAN
[mastok] loc.
Petit pain mondialisé fourré à la Vache qui rit.

CHEF
[top] n. m.
Cuisinier, mais vu à la télé et/ou dans les magazines.

CHEZ JEAN
[justocoin] loc.
Épicerie concept ouverte tout le temps. Sorte d'Arabe du coin*, mais avec des smoothies Michel & Augustin et *Courrier international.*

CHLOROPHYLLE
[verdur] n. f.
Pigment assimilateur des végétaux photosynthétiques. Par extension, dans un restaurant parisien, désigne tout ce qui ressemble de près ou de loin à une salade.

COCKTAIL
[mix] n. m.
1. Boisson alcoolisée préparée par le Parisien lors de soirées organisées pour des amis ou collègues, et dont la conception demande un long apprentissage, l'achat de plusieurs magazines spécialisés et un coaching régulier. **2.** Moyen de se la péter.
◊ *"Je peux pas rester, j'ai mon cours de mixologie cubaine à 22 heures au Ritz."* (Gonzague Saint Bris)

CUISINE D'AUTEUR
[kislajoutopchef] loc.
Équivalent culinaire du film d'auteur, c'est-à-dire proposant une "vision personnelle" de la sauce ravigote, une "déconstruction" de la blanquette de veau ou un "réagencement créatif" de l'œuf cocotte.

CUISINE MOLÉCULAIRE
[pchitt] loc.
Tendance assez furtive qui vit l'avènement, au milieu des années 2000, de restaurants proposant des menus dignes de films de SF avec des plats tels que raviolis sphériques au cacao, caviar de thé vert, gelée de chou-fleur ou billes de vin rouge. Forme primitive de la cuisine d'auteur*.

CUPCAKE
[nouvocouki] n. m.
1. Rubrique indispensable dans tout blog de foodista. **2.** Petit gâteau multicolore américain cuit dans un moule individuel en forme de tasse et surmonté de crèmes de couleurs vives, vendu dans les néo-pâtisseries de Saint-Germain-des-Prés et du Marais fréquentées par les rédactrices de mode. ◊ *"Daphné a vraiment assuré pour sa soirée cupcake : j'ai vu son carotte-choco sur Instagram, trop beau !"* (Doria Tillier)

DÉBRUNCHER
[réjim] v.
Action d'arrêter de bruncher le dimanche. > *Voir* **Jeûner**.

DRUNCH
[scrountch] n. m.
Croisement du brunch, du lunch et du drink, donc praticable à toute heure (même avec une personne ignorant totalement cette définition).

ÉCO-
[focu] préf.
Préfixe utilisé pour marquer le caractère respectueux de l'environnement d'un achat particulièrement polluant et potentiellement culpabilisant pour le Parisien. Exemple : "Les dosettes Nespresso participent à la gestion éco-responsable du recyclage de l'aluminium."

ÉVEIL SENSORIEL
[laït] loc.
Branche principale de la néo-cuisine, consistant à provoquer chez le dégustant une sensation nouvelle et rafraîchissante. ◊ *"Ce carpaccio de fleur d'oranger ne m'a pas tout à fait calé."* (Pierre Ménès)

FINGER FOOD
[finegueurfoud] loc.
Tapas typiques du 9e arrondissement, servies en quantité moléculaire au prix d'un vrai plat.

FUTOMAKI
[foutomaki] n. m.
Terme employé à la place de sushi, pour faire New York. ◊ *"Attends, tu manges encore des sushis, toi ?"* (Kyan Khojandi)

FOODING
[foudingue] n. m.
Manger, pour faire New York.

FOODISTA
[foudista] n.
Fashionista du "manger", ne fréquentant que des restaurants à chef*.

FRANPRIX
[justenface] n. pr.
Monop' du pauvre où, contrairement à une légende tenace, Rachida Dati n'est toujours pas caissière.

GRANDE
[kawa] adj.
Moyen (chez Starbucks).

GRAND-MÈRE (FAÇON)
[mamie] loc.
Dans le cadre des menus bistrotiers parisiens, qualifie un plat censé être "délicieux" tel le "pudding-carottes façon mamie" (en réalité, mamie est souvent un réfugié sri-lankais dépressif consigné dans sa cuisine).

HEALTHY
[elssi] adj.
Sain, mais plus dur à prononcer. S'oppose à *fat*.

KEBAB
[grec] n. m.
Spécialité turque du Nord parisien, particulièrement prisée rue d'Avron et avenue de Clichy. ◊ *"Le kebab mayo-ketchup d'Ahmed est extraordinaire."* (Frédéric Mitterrand)

LOBSTER
[bisk] n. m.
Homard, mais comestible par un militant de gauche.

MACARON
[cookialancienne] n. m.
Spécialité très prisée à Paris (40 euros les 24 pièces chez Ladurée sur les Champs-Élysées) de petits gâteaux colorés dérivés de la meringue, fourrés d'une crème pâtissière aux goûts variés et sans cesse renouvelés (chocolat-framboise, vanille-basilic, citron-fenouil...). Le macaron fait régulièrement l'objet d'un top 10 dans la presse féminine parisienne. ◊ *"Toutes celles qui font la queue chez Ladurée, ça m'énerve !"* (Helmut Fritz)

MARAICHER BIO
[locarrottes] loc.
Variante du petit caviste* sympa. Appelé aussi "dénicheur de saveurs", le maraîcher bio propose généralement dans ses cagettes des légumes incroyablement bons, comme par exemple la meilleure asperge de France (celle d'Argenteuil bien sûr, disponible chez JP Primeurs, 18 avenue du Général-de-Gaulle)*.

* Merci à JP Primeurs pour le chèque de 500 euros.

MARKS & SPENCER
[beans] n. pr.
Magasin britannique *old fashion*
des quartiers chics connu pour ses
sandwiches de pain de mie au saumon
fumé et ses soutiens-gorge grande
taille.

MICHEL & AUGUSTIN
[oscour] n. pr.
Marque parisienne régressive vendant
des "chouettes produits" dans des
"packagings sympas" avec des "drôles
de slogans", concoctés par des chefs
"sympas et rigolos, qui aiment les
plantes vertes, les Kangoo et la plongée
avec tuba".

MONOP'
[justemba] loc.
Épicerie du XXIe siècle, agencée en
rayons d'ambiance à thèmes dans une
atmosphère lounge*. ◊ *"À l'horizon 2015,
le Monop' devrait assurer une
pénétration record du marché parisien
chez les CSP ++ 25/45 ans sans enfants et
votant Bayrou."* (Havas Worldwide)

NATUREL
[berk] adj.
Se dit d'un vin produit sans ajout de
soufre ou de sulfite, selon une méthode
ancestrale de vinification opposée
aux procédés industriels. Sorte de bio
hardcore (l'adjectif pouvant être accolé

à "bio" pour renforcer la dimension
éthique du produit).

NÉO-RILLETTES
[rhâlouf] n. f.
Rillettes.

NÉO-TRIPOUX
[beuark] n. m.
Tripoux.

OVER TERROIR
[démen] loc.
Littéralement, "mieux qu'à la
campagne". ◊ *"Ces rillettes sont vraiment
over terroir !"* (Yasmina Reza)

PANIER BIO
[piegeafilles] n. m.
Cagette pleine de légumes d'Ile-de-
France vendue chaque semaine sur
abonnement, destinée à soutenir
l'agriculture régionale et à encourager
la culture du cerfeuil seine-et-marnais.
◊ *"J'ai récupéré 6 kilos de navets bio ce
week-end, c'est con, j'avais plutôt envie de
me faire un jap'."* (Mélanie Thierry)

RÉGRESSIF
[findelhommeoccidental] adj.
Employé dans le domaine culinaire,
traduit la nostalgie pour un produit
du terroir ou une sucrerie enfantine
consommés dans une intention
consciente de retour à l'état fœtal.

Exemples : "tiramisu au Nutella", "hachis parmentier de la cantine", "purée maison", "jambon-beurre tout simple"…

REPAS COMMUNAUTAIRE
[clapclap] loc.
Préparation de plats pour 20 dans sa cuisine, puis vente des parts sur un site participatif local et livraison à vélo.

ROLL
[douich] n. m.
Sorte de wrap*, tirant sur le nem.

SALAD BAR
[legumesanssauce] n. m.
Néo-fast-food d'inspiration californienne des 9e et 16e arrondissements, à la clientèle essentiellement féminine, alliant des plats détox* survitaminés ou énergisants à des ingrédients incongrus – pousse de sauge bio… – dans un décor de clinique design. ◊ *"On déj chez Jour à midi ? J'ai fait une overdose des salades saumon-gingembre de Qualité & Co !"* (Christophe Dechavanne)

SLICE
[par] n. f.
Dans le quartier Oberkampf, nom donné à une portion de pizza.

SLOW-FOOD
[artdevivre] n. f.
Par opposition au fast-food, qui uniformise et industrialise le goût, le mouvement slow-food est une tendance mettant en avant une certaine idée de l'alimentation, qui associe plaisir et responsabilité vis-à-vis des producteurs et de l'environnement. ◊ *"OK, mais ça fait quand même trois quarts d'heure qu'on a commandé…"* (Gilles Pudlowski)

SPIRULINE
[alguecomestible] n. f.
Source de protéines végétales contenant des acides aminés, des vitamines et des antioxydants. Base de l'alimentation végétarienne des admirateurs de Rosanna Arquette, Alec Baldwin et Drew Barrymore.

STREET-FOOD
[alarach] n. f.
Adaptation parisienne du fast-food, servie "dans la rue" et proposant de réinventer, de subsumer* ou d'upgrader un classique tel que hamburger, hot-dog, kebab ou falafel. ◊ *Le food truck de Bastille a totalement renouvelé l'approche du hot-dog mayo.*" (Alain Ducasse)

TALL
[tole] adj.
Petit (chez Starbucks).

TAPAS
[amuzgueul] n. f. pl.
Petites portions affreusement
onéreuses de différents plats préparés
d'inspiration méditerranéenne,
dénommées par exemple *Alcachofa
rellena con encurtidos y tomates cherry*
ou *Bonito en escabeche aderezado en
cebolla y olivas.* ◊ *"Ben quoi ? Et alors ?"*
(Pedro Almodóvar)

THAÏ
[taille] adj. et n.
Cantine*. ◊ *"Madame Shawn, c'est le
meilleur thaï de Paris !"* (Anne Hidalgo)

VEGGIE STEW
[nomit] loc.
Ragoût végétarien aux légumes,
pour faire New York.

VENTI
[kawa] adj.
Grand (chez Starbucks).

VIANDE
[barbak] n. f.
Denrée protéinée pouvant entrer dans
la composition d'un menu parisien,
sous réserve que l'animal ait été abattu
"avec dignité" et "sans souffrance

inutile", et que l'achat s'effectue chez un
boucher traiteur assurant la traçabilité
de l'AOC. ◊ *"J'ai bouffé un bœuf wagyu
avec Jonathan Safran Foer. Une tuerie !"*
(Aymeric Caron)

WHIFFER
[wifé] v.
Action de sniffer le chocolat à l'aide d'un
inhalateur de saveurs ressemblant à un
petit cigare, très en vogue depuis 2012.
Pour atteindre "l'émotion gustative", on
aspire des microparticules de poudre
de chocolat qui distillent l'essence de
ses arômes. En vente chez Colette, et
bientôt collector. ◊ *"Ce 70 % cannelle-
menthe est* so dark, *j'ai super envie de le
whiffer."* (Frédéric Beigbeder)

WINE-SITTER
[ouaïne-sitèr] n.
À la manière d'un baby-sitter, le wine-
sitter est un spécialiste permettant de
faire garder son vin, qui sera conservé
à la bonne température et livré à
l'adresse de son choix sur simple appel.
Moyennant un petit supplément,
le wine-sitter pourra même se servir
de son tire-bouchon (sous réserve).

WRAP
[roll] n. m.
Sandwich mou enroulé humide et
flasque, pour faire New York.

Conversation
PARISIEN
FRANÇAIS

Je suis très fooding.
J'aime manger.

C'est un projet innovant basé sur l'éveil des sens et la redécouverte des goûts de saison.
C'est un restaurant où tout est fait maison.

Je suis très néo-terroir.
J'achète des légumes.

J'aime manger.
J'aime manger des sushis.

Ce tiramisu est énorme !
Ce tiramisu est très bon.

C'est le meilleur bo bun de Paris.
C'est un bo bun.

Je veux remaker les recettes.
Je veux réinterpréter les recettes en ajoutant ma touche personnelle.

Ils sont cash, dans ce restaurant.
Tu demandes de la moutarde, ils t'insultent !

Je veux réinventer les basiques.
Je veux devenir un chef cuisinier dont on parlera dans les médias.

**Passe-moi
la fleur de sel.**
Passe-moi le sel.

**Passe-moi la tradition
froment de Chez Julien.**
Passe-moi la baguette.

Passe-moi la rougette bio.
Passe-moi la salade.

**Passe-moi la crème
de balsamique de
Modène 4 feuilles.**
Passe-moi le vinaigre.

**Passe-moi
le gomasio.**
Passe-moi les
graines.

**Passe-moi le
tournesol grillé.**
Passe-moi les
graines.

**Passe-moi la
courge grillée.**
Passe-moi les
graines.

**Passe-moi
les graines.**
Passe-moi
les graines de
chanvre.

Comprendre une ardoise de restaurant parisien

AU MENU

**Galettes tièdes
de Christophe Roussel**
(19 €)
Crêpes

**Consommé
au jojoba et huile de truffe**
(16 €)
Soupe

**Salade "Wifi"
(poulet, maïs, tomate, graines de
courge, Vache qui rit, balsamique)**
(18 €)
Salade composée

**Encornets poêlés au piment
d'Espelette et sorbet réglisse**
(23 €)
Picard décongelé (130 gr)

**Gâteau de souris d'agneau
confite et épinards à la coriandre
(29 €)**
Viande (restes d'hier)

**Risotto d'écrevisses
et caramel de framboise
sauvage du jardin
de ma grand-mère**
(26 €)
Art contemporain

Cheesecake au carambar
(11 €)
Création Metro à fort potentiel
régressif

**Orientale aux dattes, kumquats
à la fleur de sel, piment
de Jamaïque (12 €)**
Salade de fruits

**Sucré-salé aux zestes
d'agrumes (9 €)**
Crème (genre de)

CHAPITRE 3

EN FAMILLE

ADORABLE
[loveuli] adj.
Que je vais acheter pour mon kid*.

ALLAITEMENT MATERNEL
[miam] loc.
1. Mode d'alimentation traditionnel
"au sein". **2.** Sujet d'opposition farouche
entre féministes essentialistes et
différencialistes de la rive gauche.
◊ *"Allaiter, c'est féministe ou pas ?"*
(Rue89)

ATELIER
[activité] n. m.
Astuce imparable permettant au parent
de s'octroyer quelques heures de liberté
en donnant à son rejeton l'opportunité
d'embrasser une activité artistique
hautement défoulatoire (faire son pain,
danser comme à Bollywood, peindre
avec ses doigts de pied, fabriquer son
propre instrument de musique...) et qui
devrait faire de lui un génie à court ou
moyen terme. ◊ *"Mon fils a fait un atelier
Tok-Tok au palais de Tokyo, il a créé une
œuvre ultra-design qui prouve qu'il est
super doué."* (Charlotte Gainsbourg)

BABYBJÖRN
[bébibiorn] n. pr.
Sac "kangourou" d'un usage très
bref (quelques semaines au plus)
permettant au jeune père de porter sa
progéniture sur le ventre. Autour des
bacs à sable des squares, permet aussi
de se faire accoster par toute Parisienne
(célibataire ou non) craquant
systématiquement. > *Voir **Plan cul**.*

BARBAPAPA®
[au-er-té-ef] n. pr.
Série TV culte régressive et
psychédélique (née en 1974) dans
laquelle les personnages animés
(Barbapapa, Barbamama, Barbalala,
Barbibul, Barbabelle, Barbidou,
Barbotine, Barbouille et Barbidur)
peuvent se transformer à loisir en objets
de leur choix. Le parent parisien y voit
généralement une métaphore de sa vie
rêvée dans une capitale idéale*.

BFF (BEST FRIEND FOREVER)
[monpoto] sig.
Expression employée par le kid*
(ou par ses parents) pour désigner
un autre gosse rencontré dix minutes
auparavant.

BONPOINT
[bonpoin] n. pr.
Fabricant de tenues pour chérubins (petites robes en Liberty, chemises pour garçonnets, doudous, parfums) ultra-chères et BCBG. Motivation principale de nombre de jeunes mamans easy chic* pour faire un enfant.

BONTON
[bonton] n. pr.
Concept store pour kids parisiens (vêtements, jouets, déco) sur trois étages. Prévoir la journée, et plusieurs cartes bancaires de secours.

BLOOMER
[bloumeur] n. m.
Short-culotte pour bébé, introuvable en province*. ◊ *"Vous n'auriez pas vu le bloomer d'Orlando, Farida ?"* (Laetitia Casta)

BURGER PARTY
[bordel] n. f.
Fête à thème (cousine de la pyjama party*) regroupant un grand nombre de kids* déchaînés dans un appartement. Généralement, plusieurs heures de ménage sont nécessaires pour ravoir le ketchup sur les murs, et une séance de bouche-à-bouche intensive est à prévoir pour ramener à la vie le chat et/ou les poissons rouges.

CAFÉ DES ENFANTS
[trocoul] loc.
Néo-garderie pour les 0 à 12 ans, implantée dans un Boboland, avec activités ludo-éducatives non violentes, boissons sans alcool, quiches aux légumes bio, cafés "solidaires", jeux éco-responsables (en bois naturel), poupées de chiffon cousues main, tricycles rétro, etc. Le tout payable en carte bleue Visa, Gold MasterCard, American Express, Platinum et Diners Club.

CRÉATEUR
[grif] n. m.
Designer imaginaire (étranger de préférence) associé à un vêtement fashion* ou à un accessoire de mode pour enfant. Mijote toujours des "petits looks bien pointus", c'est-à-dire réinvente un basique* de notre enfance pour le remettre au goût du jour avec une touche d'humour. "Encore peu connu en France", le créateur est forcément "introuvable en boutique", alors qu'il est dévalisé à Tokyo, L.A. ou London. ◊ *"Cet imprimé que tu trouves moche, c'est quand même un Jean Bourget !"* (Une jeune maman)

CONTEUSE À DOMICILE
[lililafee] loc.
Emploi précaire généralement occupé par une intermittente du spectacle hystérique désireuse de financer sa

prochaine création d'un Tchekhov au festival d'Avignon, et occupant ses mercredis et samedis après-midi à distraire à domicile les petits Parisiens dont c'est l'anniversaire en leur lisant un conte de Perrault ou *Le Petit Prince* de Saint-Exupéry avec une insupportable voix de crécelle.

CULTURE
[parimom] n. f.
Priorité du parent parisien lors du choix d'une activité pour son kid*, tournant parfois à l'obsession. ◊ *"Y'a un cycle Buster Keaton à la Cinémathèque, je voulais absolument qu'il voie ça !"* (Mélissa Theuriau)

DOLTO FRANÇOISE (Dr)
[1908-1988] n. pr.
Pédiatre et psychanalyste, figure emblématique et icône intouchable du parent parisien pour ses travaux sur l'enfance. On lui doit des idées nouvelles telles que "l'enfant est une personne", "tout est langage", ou "il ne faut pas mentir à un enfant car il connaît toujours la vérité, même s'il chante des conneries comme *Big Bisou* et *Señor Météo*".

DPAM (DU PAREIL AU MÊME)
[étok] n. pr.
Fournisseur officiel en uniformes obligatoires pour kids* parisiens d'obédience mainstream* (vêtements, chaussures, accessoires, jouets). 35 boutiques dans la capitale.

ÉCO-FRIENDLY
[grine] adj.
Se dit de tout jouet en bois ou élaboré avec des matériaux naturels par des petites marques "adorablement branchées" implantées sur la rive gauche, par opposition à tout ce qui contient des phtalates et qui pourrait avoir été fabriqué en Chine par des enfants maltraités payés moins d'un dollar par jour. ◊ *"Gazougazou mougnou mougnou glouglou !"* (Un bébé)

FAMILLE
[nou] n. f.
Cellule mononucléaire ou recomposée, demeurant à Paris intra-muros et destinée à assurer la reproduction de l'espèce dans des conditions optimales d'hygiène et de pensée unique.

FRAISE TAGADA
[miam] n. pr.
Gélatine de porc mort enrobée de sucre rouge fantaisie.

FUN
[ioupi] adj.
1. Fluo. **2.** Quête perpétuelle.

GARDE ALTERNÉE
[ouanewik] loc.
Mode de vie usuel schizophrène du petit Parisien. Quelques rares exceptions ont été signalées d'enfants vivant chez leurs deux parents, ceux-ci n'étant pas encore séparés. ◊ *"Mais alors t'as qu'une seule chambre ? Un seul vélo ? Un seul Noël ?"* (Un gosse à un autre)

GASTRO
[pffffffuiiit] n. f.
Activité saisonnière typiquement parisienne, pleine de bons moments (vomissements, fièvres, diarrhées...), dont la durée est indexée sur le nombre d'enfants présents dans le foyer.

HALLOWEEN
[bouh !] n. pr.
Cauchemar au sens propre.

iPAD
[tablèt] n.
Cybernounou très ingénieuse, avec des centaines d'applications et de jeux permettant d'avoir la paix. ◊ *"Maman t'as vu ? Ze t'ai fait un zus de fruit sur Blockolicious !"* (Léonie, 4 ans)

IT BARBOTEUSE
[troplaclass] n. f.
Petite grenouillère trendy ultra-lookée, dénichée dans une boutique alternative "très sympa" du canal Saint-Martin, qui va à merveille à votre bambin, fait pâlir de jalousie les copines et vous autorise à vous la péter à la crèche.

JAMBON-COQUILLETTES
[miam] loc.
Astuce imparable. ◊ *"Ouaaaais !!!"* (Des gosses)

JARDIN DU LUXEMBOURG
[luko] loc.
LE parc de la rive gauche où l'on se doit de mener sa progéniture en total look DPAM* ou Bonton*, pour donner du pain aux canards, louer un petit bateau à voile, faire de la voiture à pédales ou du mini-poney (15 euros les 30 secondes).

JUNK FOOD
[macdo] loc.
Désigne les aliments plébiscités par les enfants (hamburgers, frites, surgelés, panés, bonbons, glaces), qui comme par hasard ne sont jamais bio, sains, produits artisanalement ni éco-responsables. ◊ *"Il en reste du ketchup ? C'est pour finir mes Croustibat..."* (Quentin, 6 ans)

KID
[king] n.
Enfant.

KINÉ RESPIRATOIRE
[bronkiolit] loc.
Sorcier.

LÉGUMES VERTS
[pabon] loc.
N'existent pas en vert fluo. Hélas.

LIBRAIRIE-POUSSETTE
[roul] n. f.
Espace boutique dédié aux lectures enfantines, avec des allées assez larges pour accueillir les landaus dans lesquels se trouvent les "petits lecteurs" trop jeunes pour savoir lire.

MANGA CAFÉ
[漫画] n. m.
Librairie spécialisée en BD japonaises qui se lisent à l'envers, mais dont bizarrement les kids* ne découvrent pas la fin avant le début. ◊ "*Je sais ce que je veux pour mon anniversaire : le tome 33 de* Hana Yori Dango *!*" (Une ado)

MAMIE
[granny] n. f.
Sorte d'iPad vivant qui peut garder les kids* et sait aussi préparer des madeleines.

MARKETING
[bizness] n. m.
Concept commercial ludique et d'avant-garde permettant au Parisien moyen de gérer son enfant comme un accessoire de mode. MÉNAGERIE DU JARDIN DES PLANTES
[jungle] loc.
Parc zoologique de la rive gauche où les nombreux animaux (girafes, autruches, éléphants, singes, marsupiaux...) passent leurs journées à regarder ébahis ces drôles d'êtres humains en promenade appelés "Parisiens avec enfants". ◊ "*Wou wou wou wouuuuuu !!*" (Un babouin)

MÈRE
[mozeur] n. f.
Toute personne de sexe féminin se rendant régulièrement chez Antoine & Lili dans le but de vêtir sa progéniture.

MONTESSORI
[skool] n. pr.
École privée alternative dont l'enseignement réputé est basé sur une pédagogie ouverte et "douce", un éveil sensoriel de l'enfant sans esprit de compétition, et des frais de scolarité accessibles à tous les assujettis à l'ISF.

MOONKID
[mounkid] n.
1. Enfant de la lune ou Pierrot lunaire.
2. Mage mort-vivant niveau 85 dans le jeu World of Warcraft (14,99 euros).

MOUSTACHE
[stach] n. f.
Tendance lourde.
> *Voir **Sweat moustache**.*

NOUNOU
[bébisiteur] n. f.
Garde d'enfant multitâches africaine ou antillaise, recrutée sur casting via la rubrique "petites annonces" du journal *Libération*. ◊ *"Si Léo fait une fausse route en prenant le biberon, vous lui tapez dans le dos juste là, mais avant de me téléphoner, d'accord ?"* (Une jeune maman)

NOUVEAU PÈRE
[lui] loc.
Parent mâle de l'enfant parisien, prenant l'affaire au sérieux. Très investi dans son éducation, il dépose systématiquement un congé paternité et a toujours un avis circonstancié sur l'allaitement maternel et les jouets sexistes.

PANCAKES
[miam] n. m.
Crêpes, pour faire New York.

PARC DES BUTTES-CHAUMONT
[lao] loc.
Alternative au jardin du Luxembourg* où l'on peut exceptionnellement faire une excursion une fois l'an, bien qu'il soit situé au fin fond des lointains quartiers populaires hostiles du 19e arrondissement.

PARCOURS-JEU
[ludik] n. m.
Dans nombre de musées parisiens, animation pour enfants pénible et interminable à base de coloriages et de questions censées intéresser les mômes à Cézanne, à Matisse ou aux miniatures flamandes. ◊ *"Quand est-ce qu'on s'en va, maman ?"* (Marion, 8 ans)

PARIS MÔMES
[gazette] n. pr.
Magazine bimestriel des sorties et activités à partager en famille, véritable bible du parent parisien en quête de culture éco-responsable et de divertissement "qui fasse sens". ◊ *"J'emmène mon kid à l'expo sur les déchets recyclés au 104, dans* Paris Mômes *ils disent que c'est génial."* (Elisa Tovati)

PÂTES ALPHABET
[abcde] n. f. pl.
Pâtes alimentaires dont les enfants raffolent et qui leur permettent déjà d'écrire leurs premiers mots importants, ceux qui les marqueront toute leur vie : MAMAN, PAPA, BONPOINT, GUCCI, MAJE, SANDRO…

PRÉNOM
[chou] n. m.
Pedigree du petit Parisien, impérativement tendance et/ou rétro et choisi dans la liste des millésimes autorisés. En 2014-2015, les prénoms officiels sont Louise, Nathan, Lucas, Chloé, Manon, Jade, Léo, Gabriel, Timéo, Zoé, Lilou, Maëlys, Ethan, Nolan, Romane, Lola, Maël. ◊ *"On a hésité entre Karl et Naomi, et puis finalement on a choisi un prénom neutre, qui passe partout : Inès."* (Une maman)

PYJAMA PARTY
[bordel] n. f.
Sorte de burger party*, tout aussi salissante, mais avec des enfants en pyjama.

RIGOLO
[fun] adj.
Se dit de tout ce que propose le parent parisien à ses enfants, du point de vue du parent. > *Voir* **Mortel**.

STYLER
[louker] v.
S'emploie comme "styliser". Action de donner du style à son môme en l'habillant avec de bonnes griffes trendy chic, mixées avec du Monop' bien choisi. ◊ *"Garance et Anne-Sidonie, on voit tout de suite qu'elles viennent pas du Plessis-Trévise !"* (Gaëtane de la Malmaison)

SWEAT MOUSTACHE
[fring] loc.
Sweat-shirt trendy pour kid* avec une moustache dessinée, variante du célèbre t-shirt *Life is a joke*. En vente dans les boutiques du canal Saint-Martin autour de 75 euros l'unité (existe en fluo).

TOUR EIFFEL
[éfeltoweur] loc.
Attraction très amusante consistant à faire la queue pendant plusieurs heures avec sa progéniture. Au sommet, par temps clair, on peut même apercevoir la tour Montparnasse.

Conversation
PARISIEN
FRANÇAIS

Je suis en mode "Double Income No Kids".
Je suis en couple libre avec appartements séparés.

Avoir un enfant à Paris, c'est vraiment galère.
Nous n'arrivons pas à avoir d'enfant.

Nous sommes une "famille patchwork" épanouie.
Mes enfants s'entendent mal avec mon nouveau conjoint homosexuel.

Nous avons eu un enfant.
Nous avons opté pour la garde partagée.

Côté famille pour moi c'est compliqué...
Je suis séparée de mon copain qui a eu un enfant avec une collègue devenue lesbienne cohabitant avec sa compagne et les enfants de son précédent mariage.

Nous avons opté pour la garde partagée.
Nous sommes séparés.

Je lui ai acheté un couffin en osier tout simple.

J'ai claqué 350 euros dans une brocante vintage pour un couffin bourré de mites.

On a passé le mercredi après-midi dans un manga café qui fait un jus d'ACE dément.

J'ai accompagné mon enfant dans une librairie où l'on sert aussi des jus de fruits.

C'est une vraie ado maintenant...

Ma fille de 13 ans a un piercing au clitoris.

Y'a une soirée "purée-jambon" au café Salopette.

Il y a une garderie nocturne où les enfants peuvent dîner.

Bien parler de son enfant

Martin va à la piscine. → **Matteo va à Paris Plages.**

Jean va à l'école en autobus. → **Je dépose Quentin à Montessori en Autolib'.**

Gérard prend sa bicyclette pour aller au foot. → **Jules prend son Vélib' pour aller à son atelier créatif éco-citoyen.**

Jean-Pierre aime le cinéma. → **Mathis est abonné à la Cinémathèque.**

Mireille a de bonnes notes. → **Garance fera Sciences Po.**

Julie va faire les soldes. → **India va à une vente privée chez Sandro.**

Étienne va au lycée. → **Théo va à Louis-le-Grand.**

Virginie fait un régime. → **Jeanne se fait poser un anneau gastrique.**

Nicolas va en discothèque. → **Urbain va se défoncer dans une Skins Party.**

AU TRAVAIL

ANGLAIS
[biling] n. m.
Langue principale du Parisien au travail, appelée aussi *Global English* ou *Globish*. ◊ *"Quels sont tes* insights *sur le* round *de négo du* personal branding *?"* (Larry Page)

APEC
[anpe] sig.
Pôle emploi parisien, mais en plus chic.

AUDIT

[zi-end] n. m.
Entretien de désembauche, préalable à un plan de licenciement particulièrement cruel.

BIG DATA
[biguedata] loc.
Grosses données. Désigne le secteur des études statistiques utilisant les informations personnelles dites "sensibles" fournies inconsidérément par les internautes sur les réseaux sociaux alors qu'ils pensaient naïvement jouer à Bubble Island au bureau.

BRAINSTORMING
[siestelesyeuouverts] n. m. de l'anglais brain *(cerveau) et* storm *(tempête).*
Réunion créative abolissant officiellement la hiérarchie et autorisant chaque subalterne à proposer une idée, souvent destinée en réalité à révéler le potentiel créatif du supérieur. ◊ *"La photocopieuse est en panne, je propose un brainstorming."* (Micheline, de l'accueil)

BULLSHIT
[kaka] n.
Résultat d'un travail particulièrement déceptif*. ◊ *"Ton rapport, Xavière, il est total bullshit !"* (Jean Tiberi)

CASCADER
[folo] v.
Faire suivre un e-mail à différents sous-fifres, qui le transféreront à leurs propres inférieurs hiérarchiques, qui eux-mêmes ne le liront jamais. ◊ *"Merci de cascader l'applicatif des process de validation interne avant que je m'énerve :-)"* (Cynthia, de la tour Elf)

CHARGÉ D'ÉTUDES
[janpatrik] n.
Personne qui choisit les fonds d'écran PowerPoint. ◊ *"Tiens, on fait comment déjà pour intégrer une infog dans les slides* * *? — Demande à Mathilde, c'est la chargée d'études, elle a que ça à foutre !"* (Le directeur du service informatique)

CHECKER
[tchéké] v.
Action de relever ses e-mails personnels pour regarder s'il y a autre chose que des

spams publicitaires pour l'allongement du pénis. ◊ *"L'Internet, c'est la liberté tu vois ! — Attends, faut que j'aille checker mes mails."* (Norman Thavaud)

CHEF DE PROJET
[gerard] loc.
Intitulé de poste très répandu désignant environ les trois quarts de la population active de la capitale, dont la tâche consiste à animer une équipe de collaborateurs* qui ambitionnent de devenir eux-mêmes chef de projet.

COACH HOLISTIQUE
[gourou] loc.
1. Auto-entrepreneur spécialisé en tout, payable via PayPal. **2.** Dépressif chronique faiblement diplômé ayant enfin trouvé une filière professionnelle à la mesure de ses qualités.

CO-LUNCHING
[néodej] n. m.
Pour des créatifs free-lance isolés, action de se réunir dans un restaurant de quartier afin d'y recréer l'univers convivial du déjeuner entre collègues, qu'ils avaient pourtant décidé de fuir à tout jamais. ◊ *"Ils ont des poireaux vinaigrette, j'adore !"* (Pierre-Louis, maquettiste)

COLLABORATEUR, TRICE
[400 €/mois] n.
Stagiaire.

COM (LA)
[poulailler] n. f.
Réservoir à blondes d'une entreprise peuplée d'ingénieurs. ◊ *"Vanessa, la nouvelle de la com, tu crois qu'elle va s'inscrire au club de lecture Tolkien ?"* (Luc, ingénieur réseaux)

COMMUNITY MANAGER/CM
[dadadirladada] n.
Sorte de GO du web possédant un compte Twitter. ◊ *"Depuis qu'Aurélien est CM des saucisses Herta, il a gagné 3 000 followers."* (Chloé, Youtubeuse)

CO-WORKING
[néoboite] n. m.
Pour des consultants indépendants, action de se réunir aux heures de bureau en open space afin de recréer l'univers de l'entreprise qu'ils avaient pourtant décidé de fuir à tout jamais. ◊ *"Ils ont de la bande passante à 8 mégas dans ce rade, j'adore !"* (Jean-Rémy, consultant)

CONSULTANT
[makinsé] n. m.
Professionnel formé dans une école de commerce aux pratiques chamaniques du Boston Consulting Group et envoyé après sa puberté dans une

entreprise de province* (Limoges, Béziers, Maubeuge…) pour en optimiser la productivité et en réduire drastiquement les effectifs selon les quotas parisiens.

CROSSFERTILISER
[mix] v.
Action de mélanger différentes inspirations et disciplines afin de tenter de créer une idée paraissant nouvelle.
◊ *"Cynthia et J.-C. ont crossfertilisé sous la tente du séminaire à Marrakech."* (Joubert, des RH)

CROWDFUNDING
[kwaoudfounding] n. m.
Action de collecter des fonds auprès des internautes, en échange de rien, pour financer un projet artistique alternatif qui n'a aucune chance auprès du grand public – d'où l'idée.

DATASEXUEL
[mdr] n. m.
Néologisme américain apparu en 2012, désignant un chargé de projet informatique ou un statisticien à ventre plat habillé chez Zara. Proche d'intello-chic*, avec une dimension digitale*.

DÉCEPTIF
[kaka] adj.
Décevant, pour faire Boston.
> *Voir* **Bullshit**.

DÉJ
[pauz] n. m.
Réunion de travail dans un restaurant de quartier pour négocier un contrat entre le rôti et le gratin et distribuer des tâches à l'équipe projet entre le dessert et le pousse-café. ◊ *"Tu m'appelles un taxi ? J'ai calé un déj client à L'Avenue."* (Jacques Séguéla)

DESIGNER
[loukeur] n.
Créateur de tendances plus ou moins autiste, invariablement vêtu d'un col roulé noir, de lunettes rectangulaires et assujetti à l'ISF.

DÉVELOPPEUR
[algoritm] n. m.
Qui a créé un topic sur Reddit (et ne parle plus le français).

DIGITAL
[tirsurmondoi] n. m.
Mauvaise francisation parisienne de l'américain *digital* pour dire "numérique". ◊ *"Hier soir, j'ai eu trois orgasmes digitaux."* (Simone de Beauvoir)

DIRECTEUR ARTISTIQUE
[déa] loc.
Graphiste*.

E-BEAUF
[cyberplouk] n. m.
Personnage dédaigné pour son addiction aux nouvelles technologies, celles-ci ayant tendance à accroître ses penchants vulgaires. ◊ *"Depuis qu'on a offert un iPhone à mon beauf, il nous saoule pendant les vacances avec l'appli « Faites tourner les serviettes » de Patrick Sébastien !"* (Philippe Caubère)

GOOGLE
[graal] n. pr.
Entreprise californienne régulièrement en tête du palmarès des boîtes "trop cool" dans les magazines lus par des étudiants d'HEC. ◊ *"Depuis que Stanislas est* project manager *chez Google, on le voit plus au Silencio !"* (Sandrine, de PriceMinister)

GRAPHISTE
[adidas] n.
Stagiaire Photoshop.

GRÈVE
[ankor] n. f.
Habitude à prendre. ◊ *"En raison d'une réunion surprise des agents RATP portant sur la définition du mot d'ordre d'un mouvement social à naître, merci de patienter trois jours."* (Le conducteur)

HALLU (L')
[lalu] loc.
Concept imaginaire désignant un excès quelconque et incluant le franchissement manifeste d'une "limite du raisonnable" établie par une autorité compétente mais mystérieuse. ◊ *"L'arbo du nouveau serveur interne, c'est l'hallu, non ?"* (Frank, de Natixis)

HUMAIN (L')
[nou] loc.
Notion fourre-tout faisant référence à la composante affective et personnelle des relations entre salariés, et qu'on oppose généralement à la culture du chiffre et de la rentabilité. ◊ *"Ce que j'aime surtout dans cette entreprise, c'est l'humain."* (Guillaume Pepy, lors d'une rencontre avec Sud-Rail)

INFLUENCEUR 2.0
[señormeteo] n.
Blogueur comptabilisant au moins 100 visites par jour.

LEADER D'OPINION 2.0
[kador] n.
Blogueur comptabilisant au moins 1 000 visites par jour.

MÉTHODO
[métodology] abrév.
Méthode, pour faire Boston.
> *Voir* **Process**.

MOOD-STRATEGIST
[feeling] n. m. ou f.
Abonné à Pinterest et Tumblr et
disposant de beaucoup de temps libre.

MOODBOARD
[moudborde] n. m.
Dans une agence créative, document
exploratoire subsumant* le territoire
symbolique du segment de marché
à conquérir. ◊ *"Le moodboard de
meetup.com s'insère résolument dans
une approche néo-tribale de la relation
amoureuse."* (Un DA chez "La Chose")

NET ECONOMY
[dotcom] n. f..
Secteur d'activité très rentable,
constitué de start-ups qui recueillent
les fonds de *business angels* pour
développer des produits innovants.
◊ *"Et si on créait une appli pour
géolocaliser les kebabs et crowdsourcer
les avis sur la sauce ninja ?"*
(Xavier Niel)

NOCTURNE
[tar] n. f.
Chez les fonctionnaires parisiens,
horaire de sortie du bureau dépassant
exceptionnellement 17 h 30 (19 heures
dans les arrondissements à un chiffre).

**MANAGEMENT DE LA CONDUITE
DU CHANGEMENT**
[elp] loc.
Dispositif de restructuration
destiné à freiner la vague de suicides
des salariés.

OUT OF THE BOX
[brain] loc.
Se dit d'un employé capable de réfléchir
"en dehors du cadre", à condition de
rester dedans.

OVER CRÉATIF
[spid] adj.
Payé double.

PHOTOGRAPHE NUMÉRIQUE
[clic] n. m.
Abonné à Instagram.

PROACTIF
[winner] adj.
Néologisme attribué au
neuropsychiatre autrichien Viktor
Frankl, dont personne n'a jamais
compris le sens profond, mais
que tout le monde emploie volontiers
en open space.

PROCESS
[intel] n. m.
Méthode de travail, pour faire New York. ◊ *"Les gars, va vraiment falloir qu'on reprogramme les process de validation interne du Mediator."* (Jacques Servier)

PR (PUBLIC RELATIONS)
[tchin] loc.
Sous-groupe de communicantes en Louboutin.

PUBARD
[déa] n. m.
Dans une agence (publicité, communication, événementiel), terme désuet pour désigner les directeurs artistiques anciens trotskistes, maoïstes et désormais assujettis à l'ISF.

RELATIONNEL
[sho-off] adj.
Qualité exigée pour se présenter à un poste en entreprise, consistant à feindre la convivialité en réunion, voire à raconter des blagues de Cauet. ◊ *"Le relationnel de Bernard Madoff fait de lui un véritable manager opérationnel doté de qualités humaines indéniables."* (Donald Trump)

SERIOUSLY
[tudékone] adv.
Tic verbal très usité. Interrogation feinte légèrement surjouée, exprimant la surprise du locuteur face à une situation déconcertante. ◊ *"Jean-Sé veut redispatcher la supply chain en externe, seriously ?"* (Mercedes Erra)

SIÈGE (LE)
[kujé] n. m.
Lieu de commandement d'une entreprise en réseau ou d'une société mère, souvent situé à la Défense ou à Cergy. On y envoie les cadres une fois par an pour une formation complète à l'intranet, à l'issue de laquelle ils se suralcoolisent et finissent hilares dans une boîte de lap dance. ◊ *"Bouchard a fait péter la note de frais du Pink Paradise avec l'équipe projet, bonjour le lâchage !"* (La compta)

SLASH
[/] n. m.
Ponctuation caractéristique du multitâches, toujours située au milieu d'une phrase, comme dans l'exemple : "Je bosse dans la photo/au McDo."

SLIDES
[slaïd] n.
Diapositives, pour faire New York.

SOUS-STAFFÉ
[troi] adj.
En sous-effectif.

SUBSUMER
[seubseumé] v.
Action sémantique d'englober quelque chose de particulier (l'incompétence du service créa) dans un thème général (les résultats catastrophiques de l'exercice annuel). ◊ *"Il s'agit de rapporter la pluralité des données de l'intuition à l'ensemble des concepts purs de l'entendement."* (Kant)

SUSHI
[fish] n. m.
Ancien nom du futomaki*. Casse-croûte favori du Parisien au bureau, généralement livré par un coursier sous-payé se perdant en route ou se trompant de commande. ◊ *"Je ne comprends pas, j'avais demandé trois makis saumon et deux chinchards, vous m'avez mis des california rolls à la place!"* (Le boss)

TRADER
[cash] n. m.
Employé surdiplômé en opérations financières embauché au back-office d'une grande banque à la Défense et récemment installé à Londres (South Kensington) pour d'obscures raisons d'optimisation fiscale.
◊ *"Mouahahahah!"* (Jérôme Kerviel)

TRANSVERSE
[touz] adj.
Par opposition à une organisation en silos, mode de répartition transversale du travail d'équipe, valorisant le décloisonnement et vraisemblablement inspiré des soirées échangistes aux Chandelles.

WTF
[dekwa] loc., de l'anglais "What the fuck"
1. Comment ça ? **2.** Tu déconnes ou quoi ? **3.** T'es viré(e) !

Le conseil
en entreprise

Il faut optimiser la masse salariale. ➡️ Il faut virer des gens.

Il faut aller vers plus de flexibilité. ➡️ Il faut virer des gens.

Il faut renforcer la synergie des stake holders. ➡️ Il faut virer des gens.

Il faut parachever la crossfertilisation des équipes projet. ➡️ Il faut virer des gens.

Il faut être courageux. ➡️ Vous faites partie des gens qui vont être virés.

Les offres d'emploi

Vous faites preuve
d'autonomie. ➡ Vous pataugerez tout seul dans
votre merde en cas de problème.

Vous aimez relever les
challenges. ➡ Vous allez vraiment en chier
avec un budget notoirement
insuffisant et une bande de
branleurs.

Vous aimez le relationnel
et le travail d'équipe. ➡ Vous allez vous taper l'asocial,
la dépressive, le délégué du
personnel et le client.

Vous êtes mobile. ➡ Le siège va vous envoyer dormir
en hôtel Ibis (budget de zone
périphérique).

Vous souhaitez vous impliquer
dans une entreprise
à taille humaine. ➡ Il y a plus de 200 salariés.

Vous vous adaptez facilement
à un environnement instable. ➡ L'actionnaire change tous les six
mois.

Le poste est basé
en Ile-de-France. ➡ C'est loin.

Le poste est basé
en région. ➡ C'est très loin.

La recherche d'emploi

Je suis sur des projets.
Je suis chômeur.

Je suis consultant free-lance.
Je suis en galère.

Je suis à la recherche de nouveaux défis à relever.
Je cherche du boulot.

Je souhaite vous accompagner durablement dans vos nouveaux projets.
Je cherche un boulot de toute urgence.

Je suis à la recherche d'opportunités stimulantes pour mon développement de carrière.
Ma boîte lance un plan social dans deux mois.

Je suis en phase de prospection proactive.
Je cherche du boulot depuis longtemps.

Je vais aller ouvrir une chambre d'hôte dans le Luberon.
J'ai besoin de vacances.

Je suis momentanément en disponibilité.
Je viens de me faire virer.

J'ai bifurqué vers un nouvel univers professionnel à forte valeur ajoutée.
Je veux changer de boulot pour gagner plus.

J'aurais aimé être forgeron ou ébéniste, pour travailler avec mes mains.
Je ne sais même pas planter un clou.

EN VACANCES

AVIGNON
[festivââââal] n. pr.
Durant le mois de juillet, lieu de villégiature des intermittents du spectacle des 11ᵉ et 20ᵉ arrondissements de Paris, qui y jouent leurs pièces à compte d'auteur à l'occasion du festival off. ◊ *"Tu crois que c'est drôle, le* Woyzeck *de Stéphane Braunschweig ?"*
(Un festivalier)

BALI
[ouboud] n. pr.
Centre commercial indonésien pour fashionistas post-burn-out en quête de détox spirituelle.

BERLIN
[prenzlauerberg] n. pr.
1. Sorte de Montreuil géant (sans Dominique Voynet). **2.** Capitale du film exigeant*. ◊ *"J'ai croisé Wong Kar-wai à la dernière Berlinale, il a pas un peu pris du cul ?"* (Isabelle Giordano)

BIARRITZ
[péibask] n. pr.
Plage des Landes avec thalassos, surfeurs et boutiques comme sur l'avenue Montaigne.

CANNES
[cââââân] n. pr.
Durant le mois de mai, endroit idéal pour ressortir ses Repetto blanches.

◊ "I missed the *soirée d'ouverture,* I was inside a *miss météo* from *Canal.*" (Un président du jury)

CAP-FERRET (LE)
[lapointe] n. pr.
Village vacances ostréicole de pipoles milliardaires restés "très simples", vêtus généralement de marinières Cyrillus et d'espadrilles pastel – pour le côté détendu. ◊ *"Ici, les huîtres peuvent se reproduire plusieurs fois pendant l'été. Et les gens du cinéma, c'est pareil !"* (Joël Dupuch)

CHAMBÉ
[chamberi] abrév.
Station de sports d'hiver moins cotée que Courch' et Mèg'*, mais plus que Cham' ou L'Alp'. ◊ *"Cette année on a loué un chalet à Chambé, un truc tout simple au pied des pistes."* (Fanny Ardant)

CITY BREAK
[izidjet] loc.
Week-end de shopping ruineux dans une autre capitale européenne, mais équipée des mêmes enseignes (Zara, Topshop, Uniqlo, H&M...).

CREUSE (LA)
[rien] n. pr.
Sahara.

DEAUVILLE
[dovil] n. pr.
> Voir **Sentier**.

EASYJET SETTEUR
[eksta] n. m.
Usager parisien d'une compagnie low
cost, préférant investir l'essentiel de son
budget week-end dans la qualité de son
psychotrope de synthèse préféré plutôt
que dans un billet d'avion.

GADOUE-LES-COINS
[plouitch] loc.
Banlieue résidentielle de Trifouillis-
les-Oies*.

HABITANT
[autoktone] n. fam.
Bouseux.

ILE DE RÉ
[finedeclair] loc.
Ile socialiste et venteuse des Charentes
où les artistes exigeants* pédalent
en ciré jaune avec des sourires béats.
◊ *"Tiens regarde, c'est pas les Delerm
là-bas ?"* (Les Jospin)

LUBERON
[sud] n. pr.
Territoire haut provençal (desservi par
la gare TGV d'Avignon), théâtre d'une
délocalisation intégrale du PAF chaque
année de mai à septembre. ◊ *"Pour aller
chez Drucker, tournez à gauche après
la maison de Bruel, et prenez tout droit
jusqu'à celle d'Emmanuelle Béart !"*
(Le charcutier du marché de Bonnieux)

LYON
[laba] n. pr.
Grande ville en plein milieu de la
France, "peuplée de vieux qui dorment
et mangent du saucisson en buvant du
vin rouge", d'après les témoignages de
plusieurs Parisiens de souche.

MARSEILLE
[beldemai] n. pr.
Immense friche du Sud de la France
néanmoins envisagée par le Parisien
pour sa future délocalisation comme
alternative possible à Berlin.

MÈG'
[mèj] abrév.
Megève. Magnifique station de sports
d'hiver anciennement à la mode, très
différente de Chambé*, pas du tout
comme La Clus' ou Morz', et n'ayant
carrément rien à voir avec Cham'.

MONTÉNÉGRO

[newgreece] n. pr.
Destination d'Europe de l'Est offrant la
quiétude d'un paysage méditerranéen,
sans les vols de voitures des pays des
Balkans, le tout pour le prix du Maroc.
◊ *"Au Monténégro, tu dors toujours chez
l'habitant."* (Antoine de Maximy)

NEW YORK CITY

[manatane] n. pr.
Ville jumelle. Destination de vacances
favorite du Parisien, qui s'y sent
"comme chez lui", et qui bizarrement en
revient toujours au moment précis où
on lui en parle. ◊ *"Ce que j'aime surtout
à New York, c'est cette énergie très
particulière. Tu vois ce que je veux dire ?"*
(Marc Lavoine)

PERCHE

[mortagne] n. pr.
Charmante région vallonnée, située à
une distance raisonnable de la capitale
(deux heures de route environ), où
le Parisien envisage sérieusement
d'acquérir une maison de pays ou une
fermette "toute simple" en pleine
campagne. ◊ *"Ce week-end je me ferais
bien un break dans le Perche chez les
d'Ormesson, faut que je rewrite mon
nouveau traité maoïste."* (Alain Badiou)

PERPÈTE-LES-OIES

[laba] n. pr.
Délicieuse bourgade (bien qu'un peu
éloignée) toute proche de Gadoue-les-
Coins*. > *Voir **Trou-du-cul-du-Monde***.

"PETIT" WEEK-END

[bwek] loc.
Se dit de tout congé de fin de semaine
d'au moins cinq jours (du mercredi
au dimanche) pris dans une chambre
d'hôte de charme ou un Relais
& Châteaux en Touraine.

PROVINCE

[touinpiks] n. f.
Monde hostile entourant Paris, peuplé
de hordes de téléspectateurs de TF1.
> *Voir **Provincial***.

PROVINCIAL

[plouk] n. m.
D'après plusieurs descriptions
concomitantes, "sorte de Grolandais
d'origine picarde ou auvergnate, aviné,
vulgaire et boursouflé, chômeur de
longue durée et souvent vêtu d'un
survêtement Tacchini contrefait".

SAINT-BARTH'
[sainbarte] n. pr.
Ex-paradis des bling-bling, aujourd'hui
ringardisé et tombé en désuétude.
◊ *"Ah non pitié, pas Saint-Barth'!"*
(Arthur Essebag)

TROUVILLE-SUR-MER
[lamer] n. pr.
Petit port de Basse-Normandie à la
plage très prisée, accessible en deux
heures chrono avec un Hummer
surpuissant via l'autoroute de l'ouest
(A 13). ◊ *"Tiens, si on allait se faire
une moules-frites aux Vapeurs ?"*
(Alain Minc)

TOUQUET-PARIS-PLAGE (LE)
[pitié] n. pr.
Trouville d'avant la construction
de l'A13.

TRIFOUILLIS-LES-OIES
[antipod] n. pr.
Localité imaginaire probablement
située au-delà du réel, aux confins du
grand infini et de la limite du cosmos
physique. ◊ *"Ozoir-la-Ferrière, c'est
vraiment à Trifouillis-les-Oies !"*
(Nicolas Nucci)

Conversation
PARISIEN
FRANÇAIS

Je déteste les touristes.
Je déteste les gens.

Je voyage pour mon photoblog.
Je voyage à l'étranger dans un pays émergent ou en guerre.

C'est devenu hyper-touristique.
J'y suis allé il y a cinq ans.

Je voyage pour mon projet humanitaire bénévole.
Je voyage avec mes propres ressources.

Ce que j'aime dans les voyages, c'est les rencontres authentiques.
J'ai donné 4 dollars à un Népalais pour porter mon sac à dos dans un trekking.

Moi ce que j'aime, c'est les voyages avec du sens.
Je fais du tourisme, mais je reste de gauche.

Pour moi New York, c'est uniquement Williamsburg.

Je ne vais pas en vacances dans les mêmes endroits que toi.

Pour moi la baie de Somme, c'est uniquement Saint-Valéry.

Je ne vais pas en vacances dans les mêmes endroits que toi.

Pour moi les Cyclades, c'est uniquement Tinos.

Je ne vais pas en vacances dans les mêmes endroits que toi.

Je suis allé à Marsatac.

Je suis allé à Marseille.

Je suis allé aux Paysages Électroniques.

Je suis allé à Lille.

Je suis allé au Main Square Festival.

Je suis allé à Arras.

Je suis allé à SXSW.

Je suis allé à Austin, Texas.

CHAPITRE 6

SORTIR

ADOPTEUNMEC.COM
[meeticàfrange] loc.
Très prisée par la Parisienne, procédure d'adoption simplifiée via Internet d'un individu mâle de 18 à 55 ans, en vue d'un plan cul* consommé IRL*.

AIRNADETTE (LES)
[wouaou] n. pr.
Sémillant "air band" (groupe de air playback) qui, n'ayant ni répertoire, ni instruments, ni chanteur, a très logiquement rencontré un vif succès auprès du public parisien, réputé exigeant*.

AFTER
[nafter] n. m.
1. Plus tard, après le before. **2.** En matinée. ◊ *"Ça te dit un brunch à 13 heures ? — Peux pas, j'ai un after hardtek au Social Club."* (Charlotte Le Bon)

AFTERSHOW
[baksteïdj] n. m.
Rencontre informelle avec un artiste montant "découverte Fnac" après son mini-concert exclusif dans un bar de quartier, réservée à un groupe très réduit de spectateurs. ◊ *"Tu vas pas le croire, j'ai bu une Amstel à l'Abracadabar avec le bassiste de Renan Luce !"* (Julien Chaussé)

AFTERWORK
[apéro] n. m.
Lieu de rencontres pour *project managers* chez L'Oréal et consultants SAP chez Kraft Foods, débouchant généralement sur un accouplement éphémère ou plan cul*.

AMIS
[frendz] n. m. pl.
Amis sur Facebook.

APÉRO DINATOIRE
[grignotte] loc.
Dîner debout avec des amis*.

APÉRO FLOTTANT
[batobus] loc.
Afterwork* fréquenté par des déçu(e)s de Meetic Affinity, mais sur une péniche.

BEFORE
[nao] n. m.
Bien avant l'after*.

BOBO
[beurk] adj. et n.
Terme employé par le bobo pour qualifier tous les lieux qui l'agacent, car fréquentés par ses semblables.
◊ *"Le Rosa Bonheur ? C'est so bobo."* (Quentin, serveur à La Perle)

BPM
[bipièm] sig. de l'anglais "beats per minute"
Pulsation ◊ *"J'ai déjà pris trois ristretto chez Ten Belles, j'suis à 200 bi-pi-ème là !"* (Pénélope Bagieu)

CAFÉ CHARBON
[brunchland] n. pr.
Vestige de la première tentative de transformer Paris en Brooklyn dans les années 1990, en repositionnant son centre de gravité rue Oberkampf.
◊ *"En 1987 c'était encore un PMU super-crade, j'y ai même bouffé un jambon-beurre avec une gisquette !"* (François Hadji-Lazaro, *Mémoires*)

CHEZ JEANNETTE
[moonrisekingdom] n. pr.
Incontournable bar néo-kitsch du 10ᵉ arrondissement, peuplé d'adorateurs de Wes Anderson et redesigné par les décorateurs de ses films.

COSTES (LES)
[lékost] n. pr.
Success-story de limonadiers auvergnats ayant réussi la symbiose parfaite entre l'élégance parisienne et le style néo-pouffiasse de la Côte d'Azur.
◊ *"Les Costes ont redesigné le stade de France en espace lounge."* (*L'Express*, 8 janvier 2018)

CUTE
[ouatzefeuk] adj.
Baisable.

EVENT
[iveunt] n. m.
1. Événement, pour faire New York.
2. Soirée de lancement de produit (smartphone, it bag*, champagne) organisée par une école de com privée en présence d'ex-pipoles en dépression.
◊ *"Mickaël Vendetta est pas dispo sur l'event Samsung, tu relances Tressia des Ch'tis à Las Vegas ?"* (L'assistant de prod)

EXCUSE
[peupa] n. f.
Raison crédible pour se faire porter pâle au dernier moment. ◊ *"Ça va être chaud : j'ai un after juste après et un before juste avant !"* (Anna Mouglalis)

FOLIES (LE)
[lefoliz] n. pr.
Bar à l'angle du métro Belleville,
souvent confondu avec l'agence Pôle
emploi spectacle.

ITINÉRAIRE PRÉFÉRÉ
[mappy] loc.
Expression rituelle du chauffeur de
taxi* débutant ou flegmatique, lorsqu'il
n'a aucune idée de la localisation de
l'adresse demandée. ◊ *"Vous avez un
itinéraire préféré ?"* (Mamoud, G7)

KIZOMBA
[yakazouké] n. m.
1. Danse sensuelle, croisement de
samba africaine, de zouk et de tango,
permettant de pratiquer pour un tarif
raisonnable le collé-serré avec un beau
professeur de danse antillais en sueur.
2. Zumba de la Parisienne.

LECTURE PERFORMÉE
[haaaaaaa] loc.
Lecture publique hurlante à vocation
culturelle, amplifiée et/ou déambulée,
avec piétinement éventuel de compost
urbain ou de déjections animales.

LIEU
[spot] n. m.
1. "Là où ça se passe". En général,
un squat d'artistes du 19e ou du
20e arrondissement. **2.** Endroit
tellement underground qu'il convient
de vérifier avant de s'y rendre s'il existe
encore. ◊ *"Y'a un accrochage street art
à la Gare aux Gorilles vers Stalingrad,
enfin il paraît..."* (Helena Noguerra)

MÉTRO
[ératépé] n. m.
Autolib' collectif.

MINC ALAIN
[1949 - ...] n. pr.
Célèbre visiteur du soir des palais
parisiens qui, en dépit de son intense vie
nocturne, est rarement vu au Baron.

MOJITO
[apiaoueur] n. m.
Nouveau kir.

MOOD
[filing] n. m.
Humeur. Conditionne l'envie du
Parisien d'aller boire des mojitos*.
◊ *"Aller au Balajo ce soir ? Je suis pas trop
dans le mood, là, et puis y'a la finale de
The Voice !"* (Ollivier Pourriol)

OFFICIEL
[reusta] adj.
S'ajoute après le nom sur Facebook, pour renforcer le côté "pipole avec un fan-club conséquent". ◊ *"Je suis amie avec André Manoukian Officiel, il est hyper-sympa comme mec !"* (Micheline)

PLAN CUL
[seks] n. m.
Dans le cadre d'une annonce sur un site de rencontres, désigne un projet d'accouplement éphémère et non reproductif entre Parisiens consentants, sur la base d'un contrat de non-affectivité réciproque.

PLAN CUL RÉGULIER (PQR)
[seks] loc.
Variante du plan cul*, prévoyant un accouplement hebdomadaire. ◊ *"Attends, tu vas pas le croire, mon PQR a voulu m'inviter à dîner : l'hallu !"* (Mademoiselle Agnès)

PLAN VIGIPIRATE (RENFORCÉ)
[tatata] loc.
Sorte de flash mob* saisonnier au cours duquel les militaires se déplacent avec des fusils d'assaut devant les synagogues en prenant des airs concernés. ◊ *"T'a pris ton FAMAS pour partir au Mali ?" "Non, je suis muté devant* Charlie" (Michel M., adjudant-chef)

PLAYLIST
[zik] n. f.
Bande-son pour soirées, impérativement concoctée par Béatrice Ardisson ou Ariel Wizman.

ROCK'N'ROLL
[destroy] adj.
Se dit d'un lieu festif dont les fauteuils ont été subtilement éventrés et/ou repeints, brisés, fracassés au marteau, de manière à établir une atmosphère postapocalyptique évoquant Berlin-Est. ◊ *"La dernière fois que j'ai vu une déco aussi rock'n'roll, c'était chez des amis prolos près d'Amiens."* (Nicolas Ullmann)

ROSA BONHEUR
[chérosa] n. pr.
Wanderlust* de 2011.

RER A
[tchoutchou] n. m.
Train de banlieue trop lent.

RER B
[tchoutchou] n. m.
Train de banlieue trop plein.

RER C
[tchoutchou] n. m.
Train de banlieue néonazi.

RER D
[tchoutchou] n. m.
Diligence.

RER E
[tchoutchou] n. m.
Voyage au bout de l'enfer.

SELECTA
[iPod] n. m.
DJ d'un soir que le niveau de crédibilité culturelle autorise à brancher son iPod au Baron pour jouer sa playlist* personnelle. ◊ *"L'hallu ! T'as même un reboot pirate de* Magnolias For Ever *par Plastic Bertrand ?"* (Ali Baddou)

SHOWCASE
[laïv] n. et n. pr.
1. Concert, pour faire New York.
2. (LE) Live club situé sous le pont Alexandre-III (8ᵉ arrondissement) où il n'est pas rare d'apercevoir de jeunes copéistes et fillonistes communiant sur un même dancefloor électro-pop.

SILENCIO (LE)
[sécomplet] n. pr.
Club ouvert par David Lynch*, dont l'entrée est réservée en priorité aux "milieux créatifs français et internationaux, artistes, écrivains, journalistes, stylistes, galeristes".

◊ *"Putain David, tu me reconnais ? Touche pas à mon poste, sur D8 ?"* (Cyril Hanouna)

SLASH
[/] n. m.
Ponctuation caractéristique du multitâches, toujours située au milieu d'une phrase, comme dans l'exemple : "Je suis en mode solo slash open pour un plan cul*."

SLOW BAISE
[zzzz] n. f.
Pratique très en vogue en raison de la crise du lien social et de l'aspiration à une vie sexuelle plus riche de sens. ◊ *"Avec ma meuf on slow baise, même si parfois je m'endors au milieu."* (Edgar Morin)

SLOW DATING
[bridj] n. m.
Rencontre lente pour personnes peu pressées de conclure. ◊ *"Pour le slow dating, c'est raté."* (DSK)

SOFT DATING
[rendévou] n. m.
Rencontre molle se limitant aux préliminaires.

SORTIR
[paridernièr] v.
Élaborer un plan de soirée s'étalant d'un before à un after, ponctuée de showcases privés, de dégustations de mojitos dans un bar d'hôtel, de finger food et de virées en clubs pour écouter un DJ électro londonien, tout en jalonnant ce périple de statuts Facebook incessants, de *tweetpics* floues et de *check-in* Foursquare impudiques, afin de permettre à d'autres Parisiens de rejoindre le groupe, ou au minimum d'éprouver un incommensurable sentiment de jalousie.

SPOT
[lendroi] n. m.
> *Voir* **Lieu**.

TAXI
[takos] n. m.
Ancêtre d'Uber. Moyen de transport au diesel conduit par un auditeur de la radio Rire & Chansons.

VENDEUR DE ROSES AMBULANT
[yesmaïfrend] loc.
Pakistanais angoissé voguant de restaurant en restaurant pour vendre des roses rouges à prix variable, ayant récemment intégré les mœurs parisiennes au point de proposer ses fleurs aux binômes de même sexe.

VERNISSAGE
[raout] n. m.
Pince-fesses pour l'inauguration d'une exposition à visée artistique quelconque (photos vintage*, accrochage conceptuel, collage porno…). Indique qu'il y aura probablement de quoi bouffer à l'œil.

VERNISSAGE D'INSTALLATION PLURI-SENSORIELLE
[superaout] loc.
Indique qu'il y aura probablement de quoi bouffer à l'œil et moyen de pécho.

VOGUING
[tchitcha] n. f.
Danse gay très distrayante inspirée des poses du magazine *Vogue*. Hélas, les pas se démodent chaque mois lors de la parution du nouveau numéro. ◊ *"Ton moulinet sur le pas chassé là, il est so octobre 2012 !"* (Steevy Boulay)

WANDERLUST
[vvf] n. pr.
MJC du 13e arrondissement pour hipster avec enfant(s).

À Paris dès que tu souris tu te fais brancher par des gros lourds...
Je sais que je suis bonne.

Je suis open pour un plan cul.
J'ai un conjoint régulier, mais je cherche à pimenter ma sexualité.

Je ne cherche pas un plan cul.
Je ne cherche pas un plan cul avec toi.

Je cherche un plan cul.
Je ne cherche pas un plan cul avec toi.

J'ai un plan cul régulier.
Je suis open pour un coup de foudre.

Je cherche plutôt une rencontre sérieuse.
J'aimerais être invité(e) au restaurant avant l'acte sexuel.

Je cherche à vivre l'instant présent.
L'invitation au restaurant est optionnelle.

PARISIEN
FRANÇAIS

Barakoi ?

Bar à eau	Bar
Bar à pain	Boulangerie
Bar à soupes	Restaurant
Bar à manger	Restaurant
Bar à saucisson	Charcuterie
Bar à tapas	Restaurant espagnol
Bar à huîtres	Écailler
Bar à champagne	Bar à putes
Bar à vue	Restaurant avec belvédère
Bar à fromage	Fromager
Bar à sourire	Cabinet dentaire
Bar à frange	Salon de coiffure (18-25 ans)
Bar à chignon	Salon de coiffure (35 ans et plus)
Bar à sieste	Salon de thé avec coussins
Skin bar	Esthéticienne
Bar à livres	Librairie
Bar à sons	Boîte de nuit
Cave à danser	Boîte de nuit sous un restaurant

Twitter, l'essentiel

CLASH
[klache] n. m.
Affrontement viril et virtuel entre
deux pipoles de l'Internet parisien via
les réseaux numériques, en particulier
sur Twitter. ◊ *"Le live clash entre Nicolas
Demorand et Guy Birenbaum a fait le
buzz pendant 12 minutes."*
(@jmmorandini)

DM FAIL
[déaimefaïle] n. m.
De "DM", *direct message* sur Twitter
et *fail*, "erreur". Se dit d'un message à
caractère privé publié par erreur sur
la TL* publique de l'utilisateur. ◊ *"Tu
viens me sucer après l'émission ?"* (Un
journaliste politique)

ESCAPISME
[vouzétzovilaj] n. m.
Attitude consistant à se retirer de
Twitter pendant quelques jours
pour éviter le burn-out, prendre de
la hauteur, et aller se ressourcer sur
Facebook.

FOLLOWER
[folohoueur] n.
Personne qui vous suit. ◊ *"Depuis que
Mickaël Vendetta a RT mon tweet, j'ai
gagné 200 followers."* (Sylviana, de la
Star Ac' 12)

FOLLOWER
[folohoué] v.
Action de suivre un utilisateur de
Twitter. ◊ *"Il est toujours intéressant de
savoir ce que fait, voit, mange, écoute une
fille ultra-branchée."* (*Glamour*)

HASHTAG
[modieze] n. m.
Symbole # permettant de ranger un
tweet dans une rubrique thématique
et de suivre ses passions en temps réel.
◊ *"Soirée mythique avec @blonde_du_91
et @Gros_Cochon aux Chandelles.
#planà3"* (@M_Iacub)

INFLUENT
[danlaplass] adj.
Se dit d'un twitto à fort potentiel viral*, dont les opinions font autorité, c'est-à-dire l'objet d'une dépêche sur melty.fr ou minutebuzz.com. ◊ *"Urgent : @ChristopheBarbier a la gastro."* (*Le Plus*)

IRL
[inrilaïf] sig.
Dans la vraie vie. ◊ *"La campagne, c'est trop chelou. On dirait Farmland IRL."* (@DavidAbiker)

#LESGENS
[ploukciti] loc.
Célèbre hashtag* permettant au Parisien d'exprimer son mépris pour les comportements et opinions qu'il réprouve. ◊ *"Les gens qui écoutent Jenifer #LesGens"* (@YannBarthès)

RT
[èrté] v.
Action de retweeter, ou republier le tweet d'un autre utilisateur. Distinction rare et précieuse. ◊ *"@vincentglad m'a RT*."* (@Loïclemeur)

* Conjugaison au présent de l'indicatif: Je RTe / Tu RTes / Il RTe / Nous RTéons / Vous RTéez / Ils RTéent. P.P.: RTé

TL
[téèlle] sig.
Sigle de *timeline*, ou chronologie des événements des followers* s'affichant sur un compte Twitter. ◊ *"Les twittos de la fachosphère pourrissent ma TL."* (@Lionel, twitto militant de la cellule e-riposte du PS du 14ᵉ arr)

VIRAL
[bipbip] adj.
Qui se propage à grande échelle sur le réseau. ◊ *"La sex tape de Jean d'Ormesson a envahi le web avec une viralité démente !"* (@nikosofficiel)

LOOK

La mode

ACCESSOIRE FÉTICHE
[meustav] loc.
Se dit d'à peu près n'importe quel accessoire (ceinture, sac, broche, sex-toy...) durant la brève période où il est considéré comme tendance par l'ensemble des fashionistas. > *Voir **It***.
◊ *"On ressort son sac Birkin, accessoire fétiche des soirées apéro-troc, en jouant sur le revival du look preppies."* (*Grazia*)

ADDICT
[djeunki] adj.
Qualifie un plaisir, activité ou objet de consommation courante, pour lequel on s'autorise officiellement et soudainement à éprouver un fanatisme sans limite (fashion addict, fruit addict, sex addict, spa mobile addict, Laurent Delahousse addict...).

AMERICAN APPAREL
[wtf] n. pr.
Marque californienne spécialisée dans les noms de modèles incompréhensibles, comme en témoignent les appellations "Poly-viscose school boy pant", "Printed cotton Spandex jersey high-waist skirt" ou "Pinpoint Oxford long sleeve button-up shirt". ◊ *"Le oversized satin charmeuse square top, vous l'avez en bottom ?"* (Natalie Portman)

BARBE DE TROIS JOURS
[jilette] loc.
Look indispensable dans les arrondissements de l'Est et les milieux créatifs et culturels (principalement chez l'homme). Au-dessous de trois jours, la barbe fait plouc, au-dessus, salafiste ou professeur d'histoire-géographie de province*.

BALLERINES
[wepeto] n. f.
Chaussures de danse classique, portées à Paris comme ornement stylistique par les "filles de", les étudiantes d'Assas et d'une manière générale par toutes les putes à frange* de la rive gauche.

BASIQUE
[simpl] adj.
Vêtement tout simple (jean, t-shirt, top, string) que le Parisien porte aussi, mais pas dans la même marque. ◊ *"Y'a la soirée apéro-mix au Point Ephémère, je vais mettre tout bêtement mon slim Sessùn, c'est un basique."* (Tristane Banon)

BASKETS
[peupon] n. f. pl.
Chaussures de sport, portées à Paris comme ornement stylistique par des infographistes trentenaires. ◊ *"J'ai dû enlever mes Stan Smith pour entrer dans la salle de gym !"* (Christophe Decarnin)

BEAUTYSTA
[biyoutista] n. f.
Cousine de la fashionista,
personnellement impliquée dans la
pertinence du commentaire sur le
dernier mascara Dior sur YouTube.
◊ *"Ma fille a arrêté HEC, elle veut être
blogueuse mode."* (Chantal Jouanno)

BORDER
[limit] adj.
Presque. ◊ *"On est border eighties là,
sur tes mod's à rayures, non ?"* (Olympia
Le-Tan)

CASUAL CHIC
[relaks] loc.
> *Voir **Friday Wear**.*

CHANTAL THOMASS
[èlmèm] n. pr.
Parisienne à frange, créatrice pour
Parisiennes à frange.

CHARLOTTE GAINSBOURG
[chacha] n. pr.
Portemanteau. ◊ *"À la rédac, on a trop
craqué pour la touche néo-teddy version
wild du petit top Sandro de Charlotte."*
(*Jalouse*)

CHICISER
[chikizé] v.
Rendre tendance à l'aide d'une petite
astuce (teindre, déchirer, nouer, porter

de manière ironique) un accessoire ou
un vêtement qu'on était sur le point de
donner à Emmaüs. ◊ *"Quand je pense
que j'ai failli leur filer ce petit top à strass
qui est redevenu tendance cette année !"*
(Christine Angot)

COL ROULÉ
[cosmoskatreuvindizneuf] loc.
> *Voir **Chauve**.*

CORNER
[angle] n. m.
Rayon, pour faire New York.

DÉCALÉ
[difrent] adj.
Qualifie le mauvais goût porté de
manière intentionnelle. ◊ *"On craque
pour ce gros pull-over bleu marine à
motifs de gnous hyper-décalé, porté par
Gaspard Ulliel."* (*Numéro*)

DÉMENT
[klass] adj.
Seyant.

DÉNICHER
[plan] v.
Se ruiner, mais avec une dimension
méritante. ◊ *"On a déniché ce juke-box
Radiola dans un sex-shop : une tuerie !"*
(Thomas Bangalter)

DENIM
[djins] n. m.
Terme obscur employé à la place de
"jeans" pour le faire porter par le
Parisien. ◊ *"J'adore ton nouveau jeans
A.P.C. — T'es conne ou quoi ? C'est pas un
jeans, c'est un denim !"* (Lou de Lâage et
sa mère)

DODOCASE
[dodokez] n. f.
Housse pour iPad fabriquée à partir
de vieilles reliures de livres de poètes
morts (Paul Éluard, Boris Vian, Jacques
Prévert...).

DOUDOUNE
[bibendum] n. f.
Vêtement d'apparat fabriqué par
Moncler.

EASY CHIC
[izichik] loc.
Avec un petit côté "rive gauche".

EFFORTLESS
[habitus] adj.
Inné. Concept eugéniste employé par
les Parisiennes pour affirmer leur
supériorité stylistique vis-à-vis du reste
du monde. ◊ *"Le vrai style est effortless, il
ne s'achète pas."* (Carla Bruni)

ÉPHÉMÈRE
[pffffuit] adj.
Qui suscite un article dans *À Nous Paris*
quand il est accolé aux termes "restau",
"expo", "boutique" ou "collection
capsule".

FASHION WEEK
[fachonwik] loc.
Semaine qui déverse des hordes de
rédactrices de mode, de mannequins,
de photographes et de pique-assiettes
mondains dans les rues du haut Marais,
ce qui ne modifie finalement pas
beaucoup sa physionomie habituelle.

GLUNGE
[eugli] adj.
Importable. Contraction de "glamour"
et de "grunge".

HIPPIE-CHIC*
[antouanélili] adj. et n.
Style vestimentaire promu par des
"petites marques sympas" (Sandro,
Maje...) prisé des Parisiennes
travaillant dans la programmation
culturelle ou la gestion événementielle.
Consiste à appréhender la garde-robe
de Patti Smith avec une grille de prix
adaptée aux robes Chanel.

* Conjugaison au présent de l'indicatif : Je hippie-chicise /
Tu hippie-chicises / Il hippie-chicise / Nous hippie-chicisons
/ Vous hippie-chicisez / Ils hippie-chicisent . P.P. : hippie-
chicisé.

HYPE
[aïp] adj.
D'avant-garde. Caractère de tout produit dont le logo est affublé d'une moustache , d'un flamand rose ou du logo « Jacques Chirac ».

INSOLITE
[strendj] adj.
Toute idée glanée dans un magazine de mode tiré à plus de 100 000 exemplaires, et qui par définition cessera donc d'être insolite dès sa parution.

INTELLO-CHIC
[taddéï] adj. et n.
Look postgermanopratin à base de lunettes rectangulaires et de chemise Prada, prisé par un intellectuel postmoderne en résidence à la Bellevilloise ou à la Gaîté Lyrique.

IT
[meustav] n.
Vendu à plus de 500 exemplaires rue des Francs-Bourgeois.

IT BAG
[grââl] n. m.
Sac.

IT GIRL
[kate] n. f.
Fille.

IT GLASSES
[wayfarer] n. f. pl.
Lunettes.

IT LIPSTICK
[chanel] n. m.
Rouge à lèvres personnel over tendance, qu'aucune autre fashionista n'utilise pour l'instant, en dehors des 600 000 abonnées au site web sur lequel l'info a été dénichée.

LOOK ETHNIQUE
[sal] loc.
Qualifie un accoutrement à tendance hippie (par exemple poncho, écharpe à grosses mailles et dreadlocks poisseuses) généralement porté fièrement par un jeune Parisien de type caucasien devenu intermittent du spectacle suite à un conflit de valeurs avec sa famille du Vésinet, et, bizarrement, souvent en formation "arts du cirque" à Rennes ou à Orléans. ≠ Hippie-chic*.

LOUBOUTIN
[445€] n. f. pl.
Chaussures à semelles rouges pour lectrices de *mummy porn*. ◊ *"Je pourrai pas aller à la projo du nouveau Wong Kar-wai, y'a une vente privée Loubout' à l'hôtel Amour."* (Alix Girod de l'Ain)

MOLESKINE
[pad] n. pr.
Carnet relié cuir qui se pose négligemment sur la table du bistrot pour donner un côté poète échevelé en pleine inspiration, et impressionner la Parisienne (sous réserve).

MUST-HAVE
[nécessair] n. m.
À acheter impérativement sous peine d'être exclu de la tendance. ◊ *"Ces bottes fuchsia Manolo Blahnik sont un must-have."* (Rachida Dati)

NAIL BAR
[ongleri] n. m.
Établissement de soin des ongles offrant un choix de plus de 200 teintes de vernis garantis trois semaines, mais contrairement à ce que son nom indique, pas une seule bière pression. ◊ *"On va au nail bar du marché Saint-Honoré à 18 heures, c'est l'happy hour !"* (Zahia)

NÉO-COIFFEUR
[airkeuteur] n. m.
Coiffeur indépendant appliquant des tarifs moyens situés dans une fourchette allant de 45 à 80 euros la coupe. Le salon, généralement orné d'une déco postindustrielle ou néo-design, se différencie d'un salon franchisé par l'absence délibérée de photos de modèles des années 1980 inspirées des coupes à la mode à l'époque (Jeanne Mas, Steph' de Monac', Desireless).

NOIR
[blak] adj.
Couleur de la petite robe du même nom.

NOUVEAU (LE)
[zeniou] loc.
Qui vient à la suite de quelque chose et le remplace : "SoPi ? C'est le nouveau NoPi !", "Le bagel ? C'est le nouveau burger !", "Le gris taupe ? C'est le nouveau noir !"

OMG (OH MY GOD !)
[putaincong] loc.
Juron de fashionista apercevant la dernière collection d'Alexander McQueen ou de Giambattista Valli.

OMFG (OH MY FUCKING GOD !)
[putainfeukingcong] loc.
Juron de fashionista apercevant la
dernière collection de Tommy Hilfiger
ou de Marc Jacobs.

ON
[nou] pron. pers.
Dans la presse mode, pronom
immanquablement utilisé pour
englober la rédactrice, sa lectrice et la
moitié féminine de l'humanité, dans le
but de renforcer le caractère universel
du propos. ◊ *"On s'affole pour la nouvelle
coupe d'Anne Hathaway."* (Cosmo)

PANTACOURT
[non] n. m.
Bermuda métrosexuel. ◊ *"Clovis est
venu bosser en pantacourt hier matin.
Tu penses qu'il est gay friendly ?"*
(Élisabeth Quin)

POINTU (HYPER/ULTRA)
[sharp] adj.
Désigne à peu près toute tendance
semblant digne d'intérêt, mais
qui ne doit rester connue que de la
seule élite parisienne, sous peine de
tomber immédiatement en disgrâce.
◊ *"Personnellement, je trouve que Jean-
Pierre Pernaut a un look hyper-pointu."*
(Karl Lagerfeld)

PUTE À FRANGE
[putus frangiae] loc.
Catégorie de Parisiennes que les
auteurs du présent ouvrage, pour des
raisons personnelles, préfèrent ne pas
avoir à définir. ◊ *"On n'est pas des putes à
frange !"* (Yelle, feat. Fatal Bazooka)

SEA PUNK
[sipeunk] loc.
Littéralement, "punk de la mer".
Désigne un look "techno sirène" apparu
à New York mi-2011, empruntant
son esthétique aux fonds aquatiques.
◊ *"Cette jeune modèle sea punk a sans
doute arraché son rideau de douche du
Monde de Némo pour se vêtir."* (slate.fr)

SEYANT
[36] adj.
Taillé sur un top model et qui
miraculeusement vous va.

SHOWROOM
[shop] n. m.
Boutique, pour faire New York.

SO
[so] adj.
Trop. Tellement. Furieusement.
Qualifie quelque chose qui est plus
intense que son essence même. ◊ *"Cette
salopette XXL, c'est so toi !"* (Margaux
Motin)

THE KOOPLES
[noudeu] n. pr.
Ligne de vêtements célèbre pour ses publicités présentant des couples so beaux aux occupations professionnelles so typical du Parisien moyen so swag. ◊ *"Bérénice, VJ au Batofar et André, consultant évènementiel, by The Kooples."* (Panneau 4:3 au métro Saint-Sulpice)

TO-DO LIST
[toudoulist] loc.
Liste des choses importantes à faire avant ce soir, à laquelle les Parisiens débordés doivent évidemment ajouter le temps d'écrire cette même liste. ◊ *"J'ai une to-do list longue comme mon bras !"* (Natacha Polony)

TREGGINGS
[skinny] n. m. pl.
It* tendance 2015. Pantalon ultra-moulant noir qui colle à la peau (de préférence en cuir) qu'on associe à un t-shirt "loose" blanc pour obtenir un look "néo-bourgeoise" – idéal pour bosser dans la prod télé.

TRENCH
[inpermastik] n. m.
Genre d'imperméable doublé couleur crème (idéalement de marque Burberry) faisant office de seconde peau et qui doit impérativement paraître d'occasion, sous peine de faire province*.

VENTE PRIVÉE
[bonplan] loc.
1. Vente publique sur invitation que tout le monde peut obtenir très facilement. **2.** Site Internet de soldes permanents donnant l'illusion de faire des économies. ◊ *"Les Louboutin Rolando plate-forme étaient à - 35 % sur vente-privée.com, j'ai craqué !"* (Rama Yade)

VINTAGE
[rétro] adj.
Manière positive de qualifier le vieux qui n'est pas encore de l'ancien. ≠ Kitsch*. ◊ *"Avec Jean-Seb on s'est remis au missionnaire – c'est tellement vintage !"* (Clara Morgane)

C'est hyper-pointu.
J'aime bien.

Il me les faut.
J'en ai envie.

Ça a un côté hippie-chic.
Ma grand-mère aurait pu les porter au premier degré en 1954.

C'est totalement sea punk.
C'est moche mais j'aime bien.

Je les ai prises quand même.
Il n'y avait plus ma taille.

C'est un look surprenant.
Elle s'habille comme une pétasse.

C'est un look qui sort de l'ordinaire.
Elle s'habille comme une pétasse.

C'est une tentative intéressante de marier un top fuchsia avec des leggings à paillettes.
Elle s'habille comme une pute.

Je me suis acheté une bricole chez Chercheminippes.
J'ai fait péter ta carte Bleue.

Je t'ai acheté une bricole chez Hermès.
J'ai fait péter ma carte Bleue.

Je nous ai acheté une bricole au Surplus APC.
J'ai fait péter ta carte Bleue.

J'ai rien à me mettre.
Je vais faire péter la première carte Bleue qui me tombe sous la main chez Roger Vivier.

Je préférais les autres.
Les autres étaient plus chères.

La forme

AQUA PUNCHING®
[-250kcal] n. m.
Body combat pratiqué en piscine municipale avec des mamies adhérentes de la section Les Républicains de la rue de la Pompe craignant les agressions nocturnes en milieu subaquatique. 80 euros de l'heure.

BIPOLAIRE
[zyprexa] n.
Maniaco-dépressif branché.

BLANCHIMENT
[smaïle] n. m.
Action de se faire photoshoper le sourire pour le prix d'un trois-pièces refait à neuf. ◊ *"J'ai l'adresse du dentiste de Shy'm, ça t'intéresse?"* (Marielle de Sarnez)

BODY COMBAT®
[-450kcal] n. m.
Cours de cardio inspiré des mouvements de la boxe, sur de la musique French Touch (David Guetta, Fish Go Deep...) donnant envie de frapper quelqu'un. 700 euros par an.

COACH
[kotch] n.
Assistant personnel spécialisé se comportant comme un ami, mais payé plus cher. ◊ *"J'ai un nouveau coach abdos encore plus sympa que mon coach déco. D'ailleurs il est maqué avec mon coach légumes!"* (Ariane Massenet)

DÉCOMPRESSER
[pffffiou] v.
Obsession typiquement parisienne, basée sur des rumeurs persistantes de l'existence d'un autre mode de vie. ◊ *"Le sculpteur César partait souvent en vacances pour décompresser."* (Jany Leroy)

DÉTOX
[détox] adj. et n. f.
Régime consistant à boire du thé vert de chez Monop' toute la journée pendant deux semaines, en sautant éventuellement des repas, dans l'espoir fou de purger son organisme pollué par de récents excès de calories et de particules de bisphénol A.
> *Voir **Escapisme**.*

FAT BURNING®
[-550kcal] n. m.
Abdos-fessiers. 800 euros par an.

FISH PEDICURE
[némo] loc.
Amusante activité de soin très prisée rive gauche et dans l'Ouest parisien, consistant à plonger ses pieds nus dans un aquarium où une colonie de poissons docteurs venus spécialement d'Asie s'emploient à les exfolier et à les masser longuement avec leur bouche. ◊ *"Hihihihihihihi !"* (Laurence Ferrari)

FRENCH CANCAN®
[-350kcal] n. m.
Sorte de zumba ayant remplacé *Fiesta Buena* de DJ Mam's par des airs de Jacques Offenbach. 95 euros de l'heure.

FROG SHOES
[croa] loc.
Chaussures multisports à doigts de pied, dont la semelle permet une adhérence parfaite et s'adapte à une foule d'activités d'intérieur (danse, fitness, yoga, ménage, comptabilité, raclette).

KRAV MAGA
[-400kcal] n. m.
Ensemble de techniques de neutralisation à mains nues de membres du Hamas enseignées aux agents du Mossad et pratiquées avec une joyeuse désinvolture par les fashionistas de la rive gauche. ◊ *"Mon cours de krav maga ? C'est juste en bas, place Saint-Sulpice !"* (Catherine Deneuve)

MASSAGE CHAMANIQUE
[ôm] loc.
Massage énergétique rituel agissant à la fois sur le corps, le mental et le porte-monnaie (environ 50 euros les 30 minutes).

PENCAK SILAT
[aïe] n. m.
Sorte de krav maga* (en plus violent) importé de Malaisie. ◊ *"Mon cours de pencak silat ? C'est juste en bas, place Saint-Sulpice !"* (Nathalie Baye)

PHTALATES
[C15H16O2] n. m. pl.
Cauchemar absolu pour tout visiteur du salon Marjolaine et pour l'ensemble des électeurs écologistes des 11e et 12e arrondissements concernés par l'avenir de l'espèce.

PISCINE
[souimingpoul] n. f.
Équipement municipal en général fermé pour cause de vidange, de vacances scolaires, d'horaires alternés ou de mouvement social surprise des personnels d'accueil. ◊ *"Tu sais qu'à Joséphine-Baker, l'eau est traitée au sel pulsé ?"* (Camille Saféris)

PURE STRETCHING®
[-600kcal] n. m.
Version taoïste du Fat Burning® basée sur la conscience des ondulations de la colonne vertébrale. Idéal pour renouer avec son corps et trouver l'orgasme (sous réserve). 900 euros par an.

REVITALISANT
[revitalisan] adj. et n. m.
Plus cher. ◊ *"T'es une Parisienne et t'as pas de revitalisant ? Non mais allô quoi !..."* (François Fillon)

SHIATSU
[chiatzu] n. m.
Art du toucher très populaire au Japon, devenu une discipline rituelle à l'heure du déjeuner dans les boîtes de com du quartier de l'Opéra, afin d'apprivoiser le stress dû aux effets pervers de la mondialisation et à la crise des dettes souveraines. ◊ *"Je connais le meilleur masseur shiatsu de Paris, Bernard Jaoui, tu peux l'appeler de ma part."* (Agnès Jaoui)

SHOT
[chott] n. m.
"Dose de" (verdure, bien-être, vodka, fun...), employé pour faire New York. > *Voir* **Shoot**.

SPA MOBILE
[mobibul] loc.
Mini-thalasso nomade, encastrable ou gonflable, nécessitant impérativement une arrivée d'eau, une prise électrique et une certaine idée du bien-être. ◊ *"Ils ont installé un spa mobile sur la péniche Baz'art, depuis Pedro Winter est carrément venu mixer !"* (Ariel Wizman)

SPA URBAIN
[citibul] loc.
Mini-thalasso implantée dans le Marais, acceptant exceptionnellement les clients hétérosexuels s'ils sont porteurs d'une carte Platinum.

TAI-CHI
[taillechi] n. m.
Discipline chinoise ancestrale inspirée de l'iPod, destinée à se couper radicalement des autres pour se reconnecter à son moi profond, mais sans le casque Monster. ◊ *"Je ne peux pas ce soir, j'ai mon cours de taï-chi avec Maître Hong."* (Léa Seydoux)

URBAN TRAINING®
[-500kcal] n. m.
Parcours de remise en forme libre et autonome, s'appuyant sur le mobilier urbain des espaces publics, incluant travail musculaire sur trottoir, pompes sur escalator, abdos sur banc public, et nécessitant très curieusement l'accompagnement dévoué d'un coach acceptant les transactions PayPal. 900 euros par an.

YOGA
[ioga] n. m.
Rituel hebdomadaire parisien, dont les nombreuses déclinaisons peuvent engendrer de graves conflits idéologiques entre adeptes des différentes chapelles. ◊ *"J'ai largué Monica quand j'ai appris qu'elle avait lâché l'Asthanga pour le Nidra."* (Vincent Cassel)

CULTURE

ARTISTE DU MÉTRO
[bamboleyo] loc.
Intermittent du spectacle titulaire d'un BASM (Bafa animation souterraine en milieu métropolitain). > *Voir* **Relou**.

AUTEUR
[piala] n.
Réalisateur de films d'art et d'essai portant une écharpe.

BABY ROCK
[djeunz] loc.
Genre musical ouest-parisien dont les représentants – jeunes à mèche et putes à frange* – parodient les groupes de rock des années 1970. ◊ *"On va au Bus Palladium avec Anne-Catherine, y'a les Baby Frangipanes en aftershow* !"* (Philippe Manœuvre)

BB BRUNES
[djeunz] loc.
Groupe mineur de baby rock*, dont tous les membres sont désormais majeurs.

BENJAMIN BIOLAY
[phare] n. pr.
Chanteur énervant très conscient de son importance tentant avec un relatif succès de se faire passer pour un néo-Gainsbourg, et dont des Parisiens sincères et au bon goût indiscutable parviennent régulièrement à dire du bien. ◊ *"Tu déconnes, son dernier album est quand même pas si mal."* (Jean-Laurent Cassely)

BREF
[kyan] adj. et adv.
1. Mini-série à vocation drolatique diffusée sur la chaîne Canal + en 2011, en vogue auprès des 25-35 ans CSP +.
2. Ponctuation introduisant une distance ironique avec la vie ordinaire du locuteur, lors de la narration d'une expérience de vie difficile et/ou médiocre, mais toujours typiquement parisienne. ◊ *"Bref, je me suis tapé un ministre du Redressement productif."* (Audrey Pulvar)

BRET EASTON ELLIS
[glamorama] n. pr.
Écrivain américain qui, à l'instar de David Lynch*, Don DeLillo et Wes Anderson, constitue "l'Amérique qu'on aime", c'est-à-dire que tolère *L'Obs*.

BRIGITTE (LES)
[geurly] n. pr.
Concept-duo archétypal du groupe pop féminin parisien, au look vintage* et néo-hippie assumé, célèbre pour avoir rendu Joey Starr sympathique aux auditeurs de France Inter grâce à une reprise inénarrable de *Ma Benz* de NTM.

CARTOUCHERIE (LA)
[lesoleil] n. pr.
Espace théâtral expérimental implanté depuis les années 1970 au cœur du bois de Vincennes, sur un ancien site militaire, et dont le nombre de victimes civiles n'a pas encore été déterminé avec précision. ◊ *"Le spectacle va commencer, merci d'éteindre vos portables !"* (Ariane Mnouchkine)

CENTRE POMPIDOU
[bobour] n. pr.
Établissement polyculturel et musée d'art moderne que le monde entier envie aux Parisiens. ◊ *"J'aurais bien voulu voir l'expo sur Dalí, mais y'avait trois heures de queue, j'ai renoncé."* (Nicola Sirkis)

CHANSON RÉALISTE
[zik] loc.
Genre musical très prisé dans l'Est parisien, parfois agrémenté d'une fanfare balkanique digne d'Emir Kusturica, et narrant volontiers le quotidien d'un groupe d'intermittents du spectacle en fin de droits perdu en zone rurale.

COMÉDIEN
[artiss] n. m.
Intermittent sans spectacle.

COMMERCIAL
[plouk] adj.
Désigne un produit culturel de qualité médiocre destiné à divertir ou à émouvoir un public de masse par l'usage abusif de twists scénaristiques énormes ou de gags lourds inspirés des comiques troupiers. Par extension, désigne tout produit culturel vendu en province* à plus de 100 000 copies et dès lors automatiquement frappé d'infamie par la critique. > Voir **Mainstream***
◊ *"Je n'irai pas voir le nouveau Despleschin : c'est trop commercial."* (Michel Ciment)

DAVID LYNCH
[lacan] n. pr.
Cinéaste, photographe, musicien et peintre américain vénéré des Parisiens pour son génie créatif et ses œuvres totalement inclassables, auxquelles lui-même avoue volontiers, avec une grande humilité, n'avoir jamais rien compris.

E-BOOK VINTAGE
[payperaïpad] loc.
Livre.

E-STORE D'E-BOOKS VINTAGE
[fnak] loc.
Librairie.

ÉCRIVAIN
[soup] n.
1. Jeune femme au physique avenant issue d'une bourgeoisie désœuvrée originaire de la rive gauche, narrant ses périples sexuels imaginaires avec des sodomites mondains dans des discothèques interlopes fréquentées par de jeunes Parisiens tentant eux-mêmes de se faire passer pour des écrivains (voir 2). **2.** Personne sans activité professionnelle précise, ressemblant plus ou moins à Nicolas Rey, Frédéric Beigbeder, Florian Zeller ou Nicolas Bedos (ou étant lui-même l'un d'entre eux), et fréquentant des discothèques interlopes pour y croiser des jeunes femmes au physique avenant issues d'une bourgeoisie désœuvrée et originaires de la rive gauche, dans l'espoir de parvenir à les éditer et/ou les sodomiser.

ELECTROCLASH
[soup] loc.
Sous-genre électronique de la French Touch dont l'épicentre artistique est situé à Versailles. Mouvement musical associant sonorités rétrofuturistes de Jean-Michel Jarre et polos Lacoste portés avec une intention ironique par des fils de patrons du CAC 40.

EXIGEANT
[pointu] adj.
Incompréhensible. Qualifie la tentative parisienne de proposer une relecture critique d'un concept philosophique dans le cadre d'une création cinématographique. ◊ *"Christophe Honoré propose une relecture exigeante du thème de l'érotisme tel que théorisé par Georges Bataille dans les années 1960."* (Les *Cahiers*)

FILM
[péloch] n. m.
Œuvre cinématographique d'art et essai d'une durée minimale de 180 minutes. Réalisé par un auteur*, il narre habituellement les évolutions sentimentales d'un groupe de Parisiens de classe moyenne supérieure dans un quartier huppé de la capitale, et emploie invariablement Louis Garrel ou Melvil Poupaud face à un rôle principal féminin tenu par une "fille de" ne simulant pas les scènes de sexe.

FILM "TÉLÉRAMA"
[classic] loc.
Désigne un film d'auteur lambda.
Synonyme de "film France Inter".

FILM "INROCKS"
[must] loc.
Désigne un film d'auteur "Télérama"
mais en plus pointu, éventuellement
projeté au Festival du film de Sundance.
Le film *"Inrocks"* est de préférence
iranien, coréen ou d'Asie centrale, à la
limite américain (mais seulement s'il
est indie*).

FILM "CAHIERS"
[ovni] loc.
Désigne un film d'auteur *"Inrocks"*,
mais en plus exigeant*.

FILS DE/FILLE DE
[pipol] loc.
1. Pedigree caractéristique de
l'artiste parisien à la mode. **2.** Identité
principale des acteurs apparaissant
au générique d'un film parisien. ◊ *"Le
dernier film de la fille Balasko met en
scène le fils Garrel et la fille Doillon,
autour d'une musique du fils Chedid.
C'est dire s'il nous a touchés."* (Un
critique cinéma)

FLORE (LE)
[oburo] n. pr.
Célèbre café germanopratin dans les
toilettes duquel on peut facilement
croiser de grandes figures de la
littérature moderne souffrant de la
prostate, voire d'éminents membres du
jury du Goncourt. Café à 9 euros.

FRANCE INTER
[88.7] n. pr.
Radio favorite des journalistes, des
professeurs des écoles à pulls bariolés,
et plus généralement d'une majorité de
sympathisants mélenchonistes. ◊ *"J'ai
adoré le dernier album d'Izia Higelin.
Ah c'est pas elle qui chante ?"* (Patrick
Cohen)

INCLASSABLE
[mortel] adj.
Abscons. > *Voir **David Lynch**.*

INDIE
[AOC] adj.
Indépendant. Dans le cadre d'un groupe
ou d'un label de musique, désigne
une certaine attitude de distanciation
critique vis-à-vis de l'industrie

du disque mainstream* et un idéal d'autonomie de production caractéristique du DIY*.

IPAD
[aïepad] n. m.
Tablette tactile très pratique pour lire *Les Inrocks.* ◊ *"J'ai installé un spa mobile sous mon iPad, c'est géant !"* (Éric Naulleau)

IPOD
[aïepod] n. m.
Walkman permettant de dématérialiser la musique. L'iPod ayant rendu la discothèque du Parisien essentiellement décorative, il choisit désormais ses pochettes de disques selon une logique purement esthétique. ◊ *"J'adore ta collection de vinyles vintage de la Motown. Dommage qu'on puisse pas les écouter sur mon iPod."* (David Guetta)

LIBRAIRIE LA HUNE
[chébernar] n. pr.
Célèbre librairie germanopratine disparue, originellement située à deux pas du Bon Marché*, fréquentée durant des décennies par les artistes et écrivains de la rive gauche sortant du café de Flore – qui ne la confondaient jamais avec la boutique de télé-achat de TF1 sur le boulevard Haussmann.

LOU DOILLON
[babilou] n. pr.
Sorte de Maïwenn.

LYNCHIEN
[lacanien] adj.
Dans le vocabulaire de la critique ciné, se dit de tout film évoquant l'œuvre de David Lynch*, empruntant à sa direction de la photographie ou à son interprétation jungienne des archétypes. ◊ *"Inland Empire est plus lynchien que du Lynch, l'aboutissement du réalisateur et de sa quête christique d'un cinéma purement autoréférentiel désamorçant les procédés habituels de la sémiologie de l'image."* (Pete Dayton)

MAINSTREAM
[beauf] adj.
Se dit d'un produit culturel plébiscité par la masse des gueux, et notamment des hordes de téléspectateurs des chaînes de télévision commerciales vivant dans "les provinces obscures, terreuses et alcoolisées" du reste du pays. > *Voir **Commercial**.*

MAIWENN
[nombril] n. pr.
Sorte de Lou Doillon.

MINÉRAL
[roc] adj.
Dans le vocabulaire de la critique ciné, qualifie un jeu d'acteur exigeant*.
◊ *"C'est au-delà du chiant, c'est minéral."* (Serge Kaganski)

MOOK
[mouc] n. m.
Contraction de "magazine" et de "book". Objet éditorial mixte, de la longueur d'une revue spécialisée mais vendu en kiosque, destiné à être négligemment déposé sur une table basse d'appartement parisien des 18e et 11e arrondissements ou du bas Montreuil*. ◊ *"T'as lu le dernier XXI ? Y'a un article de 18 pages sur la culture du peyotl en moyenne montagne sud-afghane."* (Tina Kieffer)

NÉO-BURLESQUE
[ditavonteese] adj.
1. Cours d'effeuillage politiquement acceptable par une doctorante en sociologie abonnée au MK2. **2.** Strip-tease lesbien XXL avec un alibi culture. ◊ *"Tu le crois ça, je l'invite à une soirée néo-burlesque au Glass Bar de Sopi, il préfère aller se toucher avec son cousin de province au Pink Paradise !"* (Caroline de Haas)

PALAIS DE TOKYO
[opalai] n. pr.
Musée dédié à la création contemporaine, ancêtre du Centquatre, où il convient absolument d'être allé durant le mois dernier voir une expo conceptuelle, une performance d'artiste échevelé ou une installation bruitiste.

RADIO NOVA
[kulte] n. pr.
Célèbre radio parisienne spécialisée dans les titres indie* de groove soul de Detroit des années 1973 à 1975 – "et encore, à partir d'avril 1975, c'était déjà un peu trop mainstream*". Alternative radiophonique quand France Inter* est en grève.

THÉÂTRE DE LA COLLINE
[zzzzzzz] n. pr.
Théâtre national à la programmation pointue* et résolument contemporaine, se définissant comme "un lieu d'émergence de nouvelles écritures scéniques" et accordant une large place à de jeunes artistes novateurs et aux collectifs qui les accompagnent. Pratique et confortable, la salle dispose de larges banquettes en cas de somnolence.

THÉÂTRE DE L'ODÉON
[remarkab] n. pr.
Théâtre national de style néoclassique (classé monument historique), proposant depuis des décennies aux Parisiens, sous la houlette de talents reconnus tels Alain Françon, Joël Pommerat ou Olivier Py, une programmation "courageuse" tournée vers des œuvres "difficiles" voire "dérangeantes" – notamment en termes de budget.

THÉÂTRE DU ROND-POINT
[chérib] n. pr.
Afterwork socialiste.

THÉÂTRE NANTERRE-AMANDIERS
[boulverssan] n. pr.
Salle de spectacle à la programmation exigeante*, proposant généralement des œuvres fondamentales telles la *Médée* de Max Rouquette avec notamment Moussa Sanou et Odile Sankara (en wolof, 2 h 45), ou *Iwona, Księżniczka Burgunda* de Witold Gombrowicz dans une mise en scène de Attila Keresztes (en polonais sous-titré, 2 h 50).

TUMBLR
[teumbleure] n.
Blog, pour faire New York. ◊ *"Depuis que j'ai créé le Tumblr "Fuck yeah Eva Joly", j'ai 500 reposts par jour !"* (Clémentine Autain)

WOODY ALLEN
[oudi] n. pr.
Woody Allen. ◊ *"J'ai préféré l'avant-dernier."* (Amanda Sthers)

Conversation
PARISIEN
FRANÇAIS

J'adore les cinéastes ouzbeks.
J'adore aller au cinéma pour pouvoir en parler après.

J'ai adoré le prix Un certain regard de cette année.
Je suis allé au cinéma, je n'ai rien compris, c'était super.

J'adore la collection "Domaine étranger" de 10/18.
J'adore les livres de poche.

J'adore la pop indie.
J'adore la musique.

J'ai fait une visite exploratoire d'un *work in progress* d'Orlan au Centquatre.
J'ai visité une exposition d'art contemporain.

J'adore Joann Sfar.
J'adore la BD.

J'ai vu un showcase dément.
Je suis allé à un concert qui m'a plu.

C'est énorme !
C'est pas mal.

C'est un film choral.
Il y a trop de personnages, on n'y comprend rien.

J'ai trop de respect pour la chose filmée...
Je déteste les gens qui parlent au cinéma.

Ils en ont pas parlé sur France Inter hier ?
J'en ai peut-être entendu parler.

Je l'ai lu dans *Télérama*.
J'en ai entendu du bien.

Tu t'es pas encore fait Niki de Saint Phalle au Grand Palais ?
Bonjour la lose !

T'es pas encore allé voir Jeff Koons à Pompidou ?
Bonjour la lose !

Tu t'es pas encore fait Ai Weiwei au Jeu de Paume ?
Tu me déçois beaucoup.

C'est so 2016 !
C'est tellement actuel !

Pascale Clark a dit qu'il fallait l'acheter.
Je vais l'acheter.

Pascale Clark a dit que c'était génial.
C'est génial.

Pascale Clark a dit que c'était de la merde.
C'est de la merde.

Patrick Cohen est malade, il n'a pas fait son émission ce matin.
Plutôt me suicider que d'écouter Europe 1.

Ça ne s'adresse pas à tout le monde.
Ça s'adresse aux Parisiens.

C'est du théâtre engagé.
C'est chiant.

C'est du théâtre intelligent.
C'est insupportable.

C'est du théâtre subventionné.
C'est pour les gens comme nous.

C'est du théâtre exigeant.
C'est très chiant.

Tu ne verras pas ça sur TF1.
Tu verras ça sur Arte.

NOVLANGUES

Parler municipal

BERTRAND DELANOË
[bertran] n. pr.
Ex-maire de Paris brillant et
charismatique, élu triomphalement à
deux reprises, mondialement célèbre
pour la création de Vélib' et d'Autolib',
pour sa gestion remarquable de Paris
Plages* et des berges rive gauche, des
doubles sens cyclables en "zone 30" et
de la Nuit blanche annuelle dont l'idée
visionnaire a été depuis reprise dans de
nombreuses capitales occidentales*.
* Merci à la Mairie de Paris pour la place en crèche.

BRUTALISME
[osscour] n. m.
Manifeste architectural vintage*.
◊ *"Mantes-la-Jolie ? Attends, mais c'est
over brutalist !"* (Zaha Hadid)

CENTQUATRE
[ouatzefeuk] n. pr.
1. Établissement culturel de la ville de
Paris, alternative *hardcore* au Palais de
Tokyo*, situé dans une zone urbaine
sensible (104 rue d'Aubervilliers,
19ᵉ arr). Pour une raison manifestement
conceptuelle, on l'écrit CENTQUATRE,
en toutes lettres et sans espaces. **2.** Lieu
hybride de rencontres privilégiées
du milieu créatif parisien, alliant
harmonieusement l'esthétique d'un

squat berlinois et le budget du Grand
Palais. ◊ *"Trop swag : j'ai brunché au café
du CENTQUATRE à côté de Radhouane
El Meddeb !"* (Victoire)

CIRCULATION DOUCE
[bisounours] loc.
Terme fétiche des plaquettes
d'urbanistes franciliens, prônant
l'usage intensif de la bicyclette, des
rollers, de la trottinette électrique et
du Segway en lieu et place de la voiture.
◊ *"Les banlieusards sont incorrigibles,
on leur met des pistes cyclables et ils
continuent à aller à Parly 2 en bagnole,
ces cons !"* (Jean Nouvel)

CITOYEN
[coul] adj. et n.
Électeur. ◊ *"Je suis très impliquée
dans l'organisation des rencontres
éco-participatives de microquartiers
auxquelles j'appelle tous les citoyens de la
capitale à participer."* (Anne Hidalgo)

COMPOST
[conpost] n. m.
Processus biologique de valorisation
des matières organiques encore trop
peu répandu dans la capitale, malgré la

présence de la Garde républicaine et de son haras de 528 chevaux produisant chacun en moyenne 44 mètres cubes de crottin par jour. ◊ *"Les restes de la Häagen-Dazs macadamia nut brittle, c'est dans la poubelle jaune ?"* (Lola Dewaere)

CONCERTATION
[nonmaisalloquoi] n. f.
Tentative de dialogue.
> *Voir **Déconcerter***.

COULOIR PIÉTONNISÉ
[ouolk] loc.
Trottoir.

ÉCO-QUARTIER
[zac] n. m.
Phalanstère futuriste idéalisé par un urbaniste municipal ayant récemment reçu et testé une excellente résine de cannabis en provenance des Pays-Bas. ◊ *"La ZAC Gare de Rungis sera une grande matrice du bonheur, inspirée des jardins de Babylone, avec en plus des circulations douces et des stations Autolib'."* (Jean-Paul Huchon)

EMPLOYÉ(E) MUNICIPAL(E)
[plank] loc.
Diplômé(e) bac + 3 ayant récemment abandonné sa recherche d'emploi dans le marketing comportemental pour se présenter au concours de la Mairie de Paris et profiter de sa légendaire tolérance en matière de congés maladie.

ENGAZONNER
[grine] v.
Action de végétaliser toute surface publique non encore verte de la capitale, à l'image des projets d'engazonnage des places de stationnement, des toilettes Decaux, des passages piétons et des quais du RER Châtelet-Les Halles (sous réserve). ◊ *"Ce n'est pas du tout un gadget pour bobos parisiens, c'est un sujet très sérieux."* (Jean-Louis Missika, adjoint en charge de l'innovation)

ESPACE VÉGÉTALISÉ
[skouar] loc.
Désigne tout jardin, espace vert, mur ou simple bac à fleurs implanté sur le territoire de la capitale. ◊ *"Ce cœur d'îlot alternera toits plantés et potagers suspendus agrémentés d'un parcours piétonnisé."* (Ian Brossat)

EUROPE ÉCOLOGIE-LES VERTS (EELV)
[léver] loc.
Microparti politique local du Marais et de l'Est parisien engagé dans les luttes éco-citoyennes de pointe, notamment celle de la valorisation des composts. Grand prix de l'humour 2012.

FERME CITADINE
[farmland] loc.
Culture en milieu urbain et production en circuit ultra-court de variétés anciennes de légumes et/ou d'herbes aromatiques, vendues à Terroirs d'avenir, rue du Nil, le temple du locavore. ◊ *"Mes asperges vertes, pour le dernier kilomètre elles prennent l'ascenseur."* (Cécile Duflot)

FLASH MOB*
[nao] loc.
Mobilisation éclair (via Internet) d'un groupe de personnes hystériques se rassemblant ponctuellement dans un lieu public pour y effectuer une action d'éclat convenue à l'avance. ◊ *"Je voulais aller à la flash mob des sans-papiers à l'église Saint-Bernard, mais en fait c'était juste une manif !"* (Daphné Bürki)

* Voir plus bas notre Guide des flash mobs.

GRAND PARIS EXPRESS
[èreuèr] loc.
Ambitieux chantier de construction d'une boucle géante de métro estimée à 25 milliards d'euros et destinée à relier enfin entre elles des communes de banlieue où personne ne va. ◊ *"Le tracé orange du Grand Paris Express mettra Bois-Colombes à un jet de pierre de Sucy-en-Brie, pour le plus grand bonheur des habitants des deux communes."* (Christian Blanc)

HIDALGISME
[ozon] n. m.
Mouvance néo-delanoïste radicale teintée de féminisme et conceptualisant un néo-stéphanehesselisme agissant.

MOBILISER
[yessouikane] v.
Brasser de l'air. > *Voir* **Temps libre**.

PARACHUTAGE
[pousstoidla] n. m.
Sport parisien réservé aux figures politiques nationales et se pratiquant généralement à l'aide d'un pass Navigo. ◊ *"La mairie de Paris ? De chez moi je n'ai qu'un seul changement !"* (Nathalie Kosciusko-Morizet)

PARIS PLAGES
[bordemer] loc.
Ambitieuse installation estivale éco-citoyenne à destination des classes populaires, financée par les impôts locaux des Parisiens qui préfèrent étrangement passer leurs vacances au Cap-Ferret* ou dans le Luberon*.

PARTI PIRATE
[skaïblog] loc.
Parti politique créé en Suède et très en vogue dans le 11ᵉ arrondissement, militant pour le libre accès au savoir sur les réseaux en ligne, la libéralisation

des données des administrations et l'inscription dans la Déclaration universelle des droits de l'homme du droit au téléchargement illimité d'épisodes de *Homeland* et de *Game of Thrones*.

POST-DELANOÏSME
[avoté] n. m.
Action d'élire Anne Hidalgo à la Mairie de Paris.

RÉENCHANTER
[yolo] v.
Sur une plaquette d'urbaniste de gauche, désigne le projet de rendre les rues propres, les immeubles jolis et les gens heureux. ◊ *"La requalification du projet urbain citoyen passe par un réenchantement radical de la ZAC de Bonneuil-sur-Marne."* (Christian de Portzamparc)

RÉHABILITATION
[yalla] n. f.
Chantier de rénovation des espaces publics, des immeubles et des espaces verts, commençant généralement par l'implantation d'une ligne de tramway. La réhabilitation est destinée à créer de la "mixité sociale", c'est-à-dire à remplacer les dealers de shit par des couples de cadres avec enfants idolâtrant Bruce Toussaint.

RÉPUBLIQUE (PLACE DE LA)
[répu] loc.
Fantasme du piéton militant rose/vert.

TRAMWAY
[tram] n. m.
Installation touristique destinée à concurrencer le Montmartrobus sur des parcours alternatifs et injustement méconnus (porte de Choisy/porte de Versailles, Aulnay-sous-Bois/Bondy...).

VILLE CRÉATIVE
[urbaland] loc.
Zone urbaine ayant subi une implantation massive d'agences de création web & design, de salad bars et de coffee shops indépendants.

VILLE DURABLE
[bedzed] n. m.
1. Plan d'urbaniste utilisant des illustrations piquées dans les albums de Oui-Oui, présentant en général des cadres dynamiques avec enfants évoluant dans des néo-immeubles à basse consommation énergétique. **2.** Expression floue employée pour justifier l'implantation d'un tramway.

PARISIEN
FRANÇAIS

Je parle le
"vivre ensemble"

"La nouvelle esplanade ouverte de la porte des Lilas va permettre de renforcer le lien social entre Paris et sa proche banlieue grâce au pouvoir arboricole des végétalisations innovantes."

"L'espace mixte partagé de la nouvelle médiathèque du 18e arrondissement est un projet emblématique de la volonté de la municipalité de renforcer le "vivre-ensemble" entre tous les Parisiens."

"Les nouveaux logements sociaux éco-responsables participent d'une nouvelle approche multimodale de raffermissement du lien social en milieu métropolitain, telle que souhaitée par la Direction de la prospective urbanistique du Grand Paris."

"On va s'aimer."

"On va tous s'aimer."

"On vous dit qu'on va tous s'aimer."

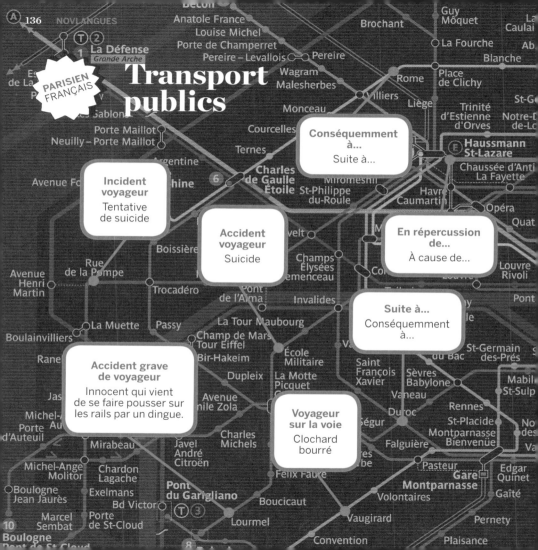

Suite à un mouvement social...
C'est la faute à la CGT.

Suite aux perturbations...
C'est notre faute mais comme vous n'avez pas le choix, vous allez attendre sur le quai.

Suite à une panne de réseau...
C'est la faute à EDF.

Suite à un coup d'État militaire...
Restez chez vous.

Suite à une panne technique...
Sortez prendre le bus ou un taxi.

Les flash mobs

Pillow fight
Bataille de polochons sur la voie publique.

Happening
Événement public à vocation culturelle.

Guérilla mob
Mobilisation éclair à vocation politique et militante, à l'exemple des Femen.

No pants day
Journée sans pantalon dans le métro (new-yorkais à l'origine).

Free hugs
Les participants offrent des câlins gratuits sur la voie publique (sans la langue).

Kiss-in, mobisou ou kiss mob
Les participants offrent des bisous (sur les joues) et s'en échangent sur la voie publique.

Terror mob
Explosion à
vocation politique
dans le métro
ou dans un lieu
public.

Freeze mob
Les participants
restent figés comme
des statues pendant
un court laps
de temps.

Carrot mob
Les participants viennent
dépenser tout leur argent
dans un commerce défini
à l'avance (souvent
étrangement à l'origine
de la flash mob).

**Metroteuf
ou subparty**
Le temps d'un
aller-retour, les participants
se transforment en
danseurs, et une ligne
entière de métro
en discothèque.

**Mon cul
sur la com mob**
(non renseigné)

Zombie day
Les participants
défilent en silence,
déguisés et grimés
en zombies.

Merci à
Claire Germouty, Marielle L.C., Emma Saféris,
Ludivine, et Maxime Daurel.

Les auteurs tiennent à informer leurs lecteurs
que certaines erreurs ont pu se glisser dans les citations présentes dans cet ouvrage,
notamment en ce qui concerne leur attribution à des personnalités
ne les ayant jamais prononcées.

Des mêmes auteurs

Jean-Laurent Cassely

Un soir insolite à Paris, Jonglez, 2007.

Paris dernière : Paris la nuit et sa bande-son
(avec Laetitia Moller et Jean-Alain Laban),
M6 Éditions, 2010.

Paris, Manuel de survie, Parigramme, 2010
(rééd. coll. Points, *Paris, mode d'emploi*, 2012)

Marseille, Manuel de survie, Les Beaux Jours, 2011.

Camille Saféris

(sélection)

Ferme ta boîte à camembert !
(avec Alexandre Révérend),
Ramsay, 2002.

Le Manuel des célibataires,
L'Archipel, 2007.

Dictionnaire femme-français,
L'Archipel, 2010.

Le Kama-sutra toi-même :
toutes les positions de l'amour à un !
Hors Collection, 2011.

Les Meilleures Blagues de François Hollande,
(avec J.-P. Gouignart), Éd. de l'Opportun, 2012.

Le Manuel des premières fois,
Éd. de l'Opportun, 2013.

Photos Lionel Piovesan/© Kwikstori

Avec la participation d'Anaïs Ancel, Romain Barris, Alix Benezech, Jean-David Beroard, Arnaud Cermolacce, Arnaud Cordier, Emmanuel Courtault, Emma Debroise, Amélie de Vautibault, Laurent Duflos, David Frizman, Muriel Gaudin, Alyse Gaultier, Jessica Genet, Raphaël Hidrot, Mathieu Lardot, David Marchal, Anthony Marty, Marie-Ségolène Pegeot, Alice Pehlivanyan, Kevin Pétureau, Anne-Cécile Quivogne et Marie Serruya.

La plupart des photos sont extraites du roman-photo *Les Célibs*.

Édition : Sandrine Gulbenkian et Clara Mackenzie
Direction artistique et maquette : Isabelle Chemin

Avec la collaboration de Marie-Flore Limal, Sébastien Cordin, Béatrice Lechevalier, Julia Verneau, Mathilde Kressmann et Tristan Bézard

Achevé d'imprimer en UE en août 2015 / Dépôt légal : septembre 2015 / ISBN : 978-2-84096-957-0